Help!
me eduque

letramais

Obrigado por comprar uma cópia autorizada deste livro e por cumprir a lei de direitos autorais não reproduzindo ou escaneando este livro sem permissão.

Letramais Editora
Rua Lucrécia Maciel, 39 - Vila Guarani
CEP 04314-130 - São Paulo - SP
(11) 2369-5377 - (11) 93235-5505
letramaiseditora.com.br
facebook.com/letramaiseditora
instagram.com/letramais

Os papéis utilizados foram Chambril Avena 80g/m² para o miolo e o papel Cartão Eagle Plus High Bulk 250g/m² para a capa. O texto principal foi composto com a fonte Sabon LT Std 13/18 e os títulos em Bliss Pro 19/30.

Editores
Luiz Saegusa e
Claudia Zaneti Saegusa

Direção Editorial
Claudia Zaneti Saegusa

Capa
Casa de Ideias

Projeto Gráfico e Diagramação
Casa de Ideias

Fotografia de Capa
Shutterstock - pathdoc

Fotografia de Orelha (livro)
Angelica Zaneti Saegusa

Revisão
Rosemarie Giudilli

Finalização de Arquivos
Mauro Bufano

Impressão
Lis Gráfica e Editora

13ª Edição
2025

Help!
me eduque

Copyright© Intelítera Editora

Dados Internacionais de Catalogação na Publicação (CIP)
(Câmara Brasileira do Livro, SP, Brasil)

Klinjey, Rossandro
  Help, me eduque / Rossandro Klinjey. -- 1. ed. -- São Paulo : Intelítera Editora, 2017.

  ISBN: 978-85-63808-77-6

  1. Autoajuda 2. Crianças - Criação 3. Educação, finalidades e objetivos 4. Educação de crianças 5. Família 6. Pais e filhos 7. Relações familiares I. Título.

17-05700   CDD-649.1

Índices para catálogo sistemático:
1. Pais e filhos : Educação familiar   649.1

Rossandro Klinjey

Help!
me eduque

letramais

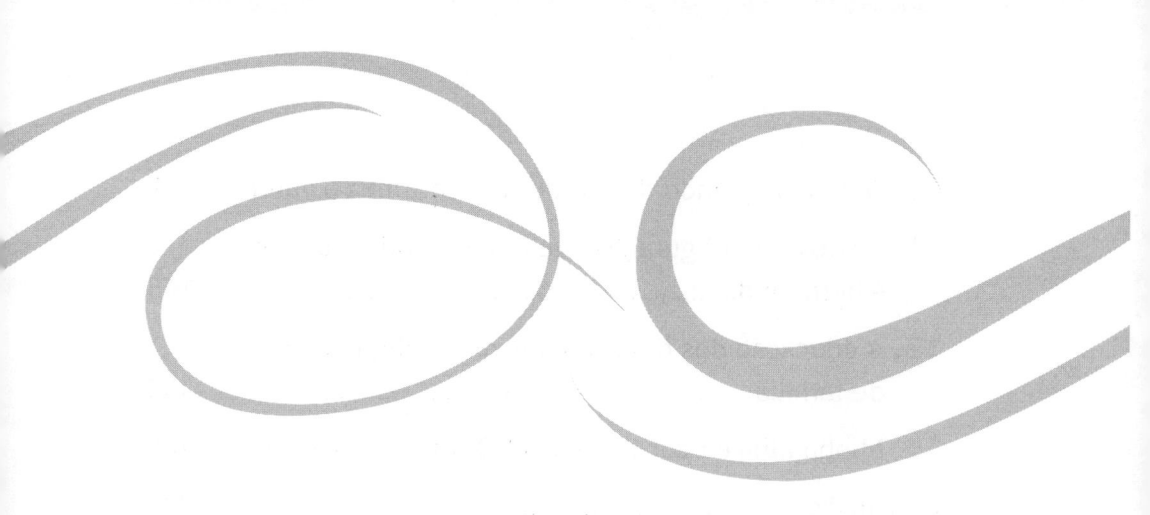

Sumário

Introdução 7

1. Por que meus pais acertaram comigo e eu estou errando com meus filhos? 11
2. O que vem antes do amor? 29
3. Filho tem direito à privacidade? 39
4. Prepare seu filho para lidar com o mundo, e não para o mundo ter de suportar seu filho 57
5. Seus filhos fariam isso por você? 71
6. Reintegração de posse afetiva: recuperando o filho "perdido" 85
7. Educação é repetição, repetição e repetição: aceita que dói menos 107
8. Ensinando os filhos o tempo todo, mesmo sem saber 117
9. Era uma vez a família como a conhecíamos: os filhos do divórcio 127

10. Divórcio: quando depois do fim, continua a guerra.....137
11. As novas configurações de família: toda mudança é bem-vinda?..145
12. A educação dos filhos em outras configurações de família..153
13. Minha filha é educada, e daí? O que faço agora?........165
Conclusão..175

Introdução

Primeiramente, eu quero dizer algo muito importante: se você acha que esse livro é uma acusação aos pais, não é mesmo. Muito pelo contrário, é uma defesa, mas que reflete sobre suas falhas, com o objetivo, repito, não de acusar, mas de ajudar na desafiadora e mágica tarefa de educar os filhos.

E por que digo isso? Porque constato, ao longo de minha atuação como terapeuta, que a maioria esmagadora dos pais são pessoas completamente bem-intencionadas, e que amam profundamente seus filhos e fazem de tudo, indo além de seus limites, para que os filhos sejam felizes, ainda que errem na dose, e que a concepção que tenham de felicidade precise ser repensada.

Mas, apesar de tantas boas intenções por parte dos pais, não custa lembrar que não bastam boas intenções, são necessárias boas práticas que resultem em filhos capazes de enfrentar os desafios diários da vida, vida essa que, a cada geração, torna-se cada vez mais complexa.

Eis o dilema que me chamou atenção: Por que, em nossos dias, as maravilhosas e inquestionáveis boas intenções dos pais não se transformam em ações que capacitem seus filhos a serem pessoas mais capazes, mais felizes e mais equilibradas? Ou pior, por que, o contrário, essas boas intenções dos pais ultimamente têm criado um sem número de jovens egoístas, instáveis, interesseiros e desequilibrados?

Chama atenção também o relato de muitos pais ao afirmarem que seus filhos em casa são egoístas, não cooperam, aborrecem-se com qualquer coisa, mas lá fora ouvem relatos de que os filhos são doces, meigos e pacientes, "quase anjos".

Outra questão que chama atenção é a quantidade de jovens com menos de vinte anos, sendo atendidos por psicólogos e psiquiatras com quadros depressivos. Em muitos casos, quando buscamos informações acerca da infância desses jovens, esperando relatos de abuso sexual, de pais alcoólatras, opressões e violência física, encontramos jovens que tiveram uma infância fantástica, sem nenhuma grande tragédia ou decepções significativas, cujos pais eram amigos incríveis e, mesmo assim, são infelizes hoje. Por que será?

Como não podemos terceirizar a educação dos filhos, embora haja dias que muitos pais queiram ao menos uma folga, é melhor assumir a tarefa e fazê-la da melhor forma possível. Ainda que não custe lembrar, por mais que se esforcem, os pais cometem erros e isso é completamente humano.

Bem, não espere uma resposta simples, uma receita de bolo, uma panaceia mágica. Eu proponho uma viagem passando pela história, pelas ciências psicológicas, por vidas de pessoas e famílias, testemunhos de dor e superação na arte de educar almas.

1.
Por que meus pais acertaram comigo e eu estou errando com meus filhos?

Não há como negar que o modelo familiar de nossos dias passa por uma crise sem precedentes. Desesperados, pais e mães procuram ajuda de todos os profissionais que possam, de algum modo, socorrê-los na tarefa cada vez mais difícil e complexa que é educar os filhos. Isso quando já não chegam com o caos familiar estabelecido.

A falência de muitas famílias, a partir da incapacidade de muitos pais em educar a contento seus filhos, tem gerado, por consequência, aumento significativo do egoísmo nesses indivíduos, ou seja, uma ampliação perigosa e bem impactante dessa característica humana.

Para entender isso, é necessário remontarmos à infância das pessoas que, iguais a mim, nasceram por volta da década de 60 e 70 do século XX. Trata-se de uma geração nascida no país, um pouco antes ou durante a ditadura militar.

Vamos pensar um pouquinho e comparar as referências do passado e as referências atuais. Você que está lendo este livro agora topa uma viagem no tempo?

Pense comigo, você é da época de Moral e Cívica ou OSPB? Eu sei, lembrar disso te faz se sentir velho, mas vamos lá, continuemos nossa viagem.

Nós vivíamos em famílias clássicas, bem diferentes das que temos hoje e passamos por um período de transformações sociais do que chamamos cultura judaico-cristã branca ocidental, como conhecíamos até aquele período, marcada por ser patriarcal, com pouco espaço para a mulher e pouco ou nenhum diálogo entre pais e filhos, que começou a mudar nos anos 60.

Quando nos dispomos a estudar a crise do modelo de educação das famílias, ao pontuar no mapa mundial, percebemos que essa crise incide mais nas sociedades ocidentais: do Alasca à Patagônia Argentina, ou seja, todo continente americano, igualmente, Europa, Austrália, Nova Zelândia (Oceania). Isso ocorre de forma muito menor em países tais quais China, Japão, Índia e países árabes.

Recentemente, quando tive a honra de proferir uma palestra no III Congresso RePacificar, ao lado do neto de Mahatma Gandhi, Arun Gandhi, falei com ele a esse respeito, foi quando ele me disse que na Índia teve início um processo de desconstrução da família, parecido com aquele que enfrentamos no Ocidente nos anos sessenta.

Isso significa que a sociedade em que nos inserimos está desandando, mergulhada em irreversível caos?

Evidente que não. Há soluções. Mas, para que as encontremos é preciso voltar um pouco no tempo e entender como tudo começou.

Até os anos 60 do século XX o modelo de família que nós conhecíamos era completamente clássico, chamado *pai orientado*, em que havia a autoridade mesmo na ausência. Havia, inclusive, uma frase muito comum: *quando seu pai chegar...*

Isso era o suficiente para que a ordem fosse restabelecida ainda que, em alguns casos, aquele pai não tivesse poder algum e a autoridade real fosse da mãe. Ela, porém, usava aquela figura paterna de alguém que chegava com autoridade para impor limites aos filhos.

Essa família trazia muitas virtudes, mas também muitos defeitos. Um aspecto forte é que as famílias nesse modelo eram de longa duração. Os casamentos duravam, nem sempre por haver amor entre o casal, mas porque um ser humano era anulado, geralmente, a mulher, completamente submisso ao outro, dominador de uma espécie de mundo *highlander*:[1] "Só pode haver um, eu, o macho alfa"!

As mulheres eram educadas para suportar casamentos em que elas ocupariam lugar secundário, embora muitas, com toda a doçura do universo feminino, conduzissem homens que julgavam mandar nelas e que assumiam imponente postura de ditador provedor. De vez em quando, ele "aparecia" com suas atitudes duras, e a mãe transformava-se numa espécie de embaixatriz da ONU, pronta a mediar relações entre pais e filhos.

É muito comum quando converso com senhoras de 60, 70, 80 anos que acabaram de enviuvar, ouvi-las dizer: "Eu comecei a viver agora". Imagine só a grandeza disso, se anular a vida inteira para que "sua

---

[1] Highlander, filme protagonizado por Christopher Lambert e Sean Connery em que guerreiros imortais só perdiam esta condição se lhes cortassem a cabeça. Feridos de outra forma, sempre reviviam. Eles se combatiam entre si para que finalmente existisse apenas um a quem seria dada recompensa especial. Fez bastante sucesso na década de 80 e originou sequências, séries de TV e games. Produção da Century Fox, dirigida por Russel Mulcahy, estreou em 1986.

majestade", o seu marido, exercesse um poder que, em alguns casos, nem existia realmente, mas que a mulher permitia que assim fosse, em nome da harmonia familiar, realidade a qual a maioria das mulheres hoje, com razão, não se submete mais.

Muitas pessoas ainda hoje trabalham os traumas advindos dessa relação danosa, sobretudo, com a figura do pai. Por incrível que possa parecer, ainda assim essa família tinha um grau de funcionalidade, e você deve estar muito irritado ou irritada comigo por estar afirmando isso, mas eu vou explicar.

Então, o quadro era esse:

as relações eram distantes, é verdade, havia certa ditadura, mas havia ordem, disciplina, e as pessoas sabiam o que tinham de fazer porque sabiam onde queriam ou lhes era permitido chegar.

Independentemente da condição econômica, havia uma ordem estabelecida no lar que criava um sentimento de harmonia, de cuidar uns dos outros. E as interferências do mundo lá fora eram bem menores.

Para facilitar a compreensão do que era a vida familiar antes de 1980, cito alguns exemplos do que eu, e muitos dos que eram crianças ou jovens naquela época, vivemos.

Comecemos pelos calçados. Muitos de nós pertencemos a uma geração em que a grande variedade de tênis se resumia aos modelos: *conga, kichute* e *bamba*, ou o sapato *777* da *Vulcabrás*, um clássico da elegância, usado em casamentos, aniversários e velórios, rsrsrsrs. Muita gente não sabe o que é isso, pois já faz parte da geração do *All Star*. Talvez você tenha usado sandálias *Du Pé* ou *Havaianas* e que, ao estourar a correia, você colocou um prego embaixo e continuou usando. Lamento informar que isso não representava que você estivesse antecipando uma tendência ecológica, de reciclagem. Na verdade, você, assim como eu, era pobre mesmo.

A alimentação diária nas mesas das famílias mais pobres resumia-se a poucos itens repetidos dia a dia, sol a sol. Muitas vezes, lá em casa almoçávamos tomate dia sim, dia também. E sei de famílias que comiam carne somente em dias especialíssimos, no restante, era o variado cardápio de ovo, noutras, a pura farinha e assim por diante, conforme a disponibilidade da região, do estado.

Essas dificuldades não necessariamente traumatizaram a maioria das crianças, muito pelo contrário, as fortaleceu. Mas, temos de lembrar que éramos crianças mais submissas, obedientes, fruto de uma educação com disciplina, é verdade, com limites, inegavelmente, mas também com muita ditadura e autoritarismo e com as mazelas que isso acarretou.

Embora seja clássica a ideia de que a natureza não dá saltos, é notório que em alguns momentos acumulam-se eventos que culminam num ponto de inflexão, ou seja, numa grande mudança.

Como sabemos, as mudanças acontecem. Elas são sempre bem-vindas, trazem o novo, mas muitas vezes descartam o que estava funcionando no passado. A nova família que hoje temos gerou filhos insubmissos. Isso tem um lado bom, mas também tem um lado ruim.

Professores, educadores, psicólogos, médicos, pedagogos, todos escutam atônitos uma frase que tem virado uma espécie de "mantra do desespero": *Eu não sei mais o que faço com essa criança*. E, para nosso espanto, quando olhamos é uma criança mesmo.

Aí, você olha para a criança, às vezes, não mais de dois anos, e olha também para um adulto que diz não saber o que fazer com ela e pensa: ou essa criança é um Hitler em miniatura ou temos um pai ou mãe completamente incompetente! É espantoso isso! Como é que um indivíduo olha para um garoto e diz que não sabe o que faz com ele?

Dá vontade de dizer: "Eu não sei o que faço contigo que não sabe o que faz com ele". É uma evidência clara de falta de autoridade, de firmeza, não de tirania, friso. Como uma criança o domina aos berros ou exige isto ou aquilo? Como um pai ou mãe diz que não sabe lidar com seu filho?

Pois é, infelizmente muitos não sabem. Parece mesmo que desaprenderam o que receberam dos seus próprios pais, ou acharam melhor abrir mão de tudo que receberam e partir do zero, criando um modelo novo.

Há um vídeo circulando nas redes sociais e, provavelmente, vai circular por muito tempo, em que uma criança pequena bate com violência, repetidas vezes, em sua mãe. Todos em volta, ela inclusive, riem, o que a incentiva a bater mais e mais. Horrível! E esse é apenas um dos milhares de exemplos de "gracinhas" inversas que são postados diariamente.

Vale dizer que o contrário também ocorre. Pais e mães que são verdadeiros algozes de seus filhos ou que os tratam com indiferença, como aquela postagem que viralizou, da mãe que estende o bebê num pano qualquer no chão do aeroporto e fica absorvida com o que se passa no celular. Isso sem contar o triste noticiário de assassinatos entre pais e filhos.

Como entender, portanto, o que aconteceu no padrão familiar para chegarmos ao ponto de um pai ou uma mãe dizer:

Eu não sei o que faço com esta criança?

Ocorre que até os anos 60, a família era muito claramente patriarcal, com o modelo pai orientado, dito anteriormente. Uma fotografia clássica de família era o pai e a mãe no meio, figuras centrais do lar, e ao redor os filhos, numa hierarquia do mais velho para o mais novo. Nas fotografias, as pessoas eram muito sérias porque rir era coisa de gente idiota. Atualmente, se você tirar uma foto, uma *selfie* sem rir você é considerado um perturbado mental. Tudo está mudado, no mundo é assim.

Muitos motivos concorreram para a mudança do modelo familiar que tínhamos antigamente. A origem dessa crise pode ser atribuída à decepção provocada na alma humana com o advento da segunda guerra mundial que desmistificou o aparente aprendizado deixado pela primeira. Ela mostrou que se as condições fossem dadas, voltaríamos para a barbárie em face da fragilidade da civilização. E isso teve reflexos irreversíveis na família, iniciando o seu processo de transformação. Soma-se a isso o fato de que as mulheres, com razão, cansaram da submissão.

O primeiro passo foi que as mulheres precisaram sair do conforto do lar e de suas obrigações domésticas para trabalhar nas fábricas, pois os homens haviam partido em massa para a guerra. Quando eles retornaram para as casas, elas não quiseram voltar para os fogões. Ali, naquela situação, finalmente compreenderam que podiam ter autonomia e independência financeira, o que lhes permitia também não serem mais submissas às relações, cujo amor não existia, na maioria dos casos.

Em suma, cansaram-se da submissão imposta pelos homens por mais de dez mil anos e começaram a construir novo modelo de família, menos rígido.

Evidente que essa transformação não ocorreu para todas e nem ao mesmo tempo. Mas, foi o início. E de lá para cá veio avançando por quase todos os países. Ainda hoje, após sete décadas, encontramos locais onde as mulheres não têm voz, nem vez, ou se as têm, valem menos que a dos homens.

Uma frase muito ouvida na minha infância era: *em briga de marido e mulher ninguém mete a colher*. A mulher podia estar apanhando na casa do vizinho, que ninguém fazia nada, mas hoje os avanços são visíveis. Há a lei Maria da Penha, a assistência das delegacias da mulher, Ministério Público, ONGs específicas, denúncia anônima, ou seja, estamos avançando.

São situações que vão se diluindo ao longo do tempo, da revolução tecnológica e de tantas outras mudanças sociais, mas seguem ritmos ditados pela evolução dos seres e nações. Não por acaso, todas as sociedades que perseguem a mulher são atrasadas e quase bárbaras e todas as sociedades que dão espaço ao feminino são mais avançadas.

Essas mudanças, é claro, provocaram instabilidade, porque o antigo modelo de família perdurava há muitos e muitos séculos, de modo que, como essas transformações em termos históricos são recentes, ainda estamos nos adaptando a esse universo.

Com a inserção das mulheres no mercado de trabalho, tornou-se necessária, maior e mais significativa a presença do pai na educação dos filhos, o que ocorre apenas em algumas famílias.

Um fenômeno que se destaca nessa revolução é causado pela interpretação equivocada que muitos fizeram do conceito de trauma, oriundo da psicologia e da psicanálise. Podemos resumi-lo em: "crianças não podem ser traumatizadas", ou "elas não podem ouvir um não", ou ainda "tenham cuidado com elas, deem toda a atenção, pois elas não podem ser contrariadas". Quanta bobagem.

Dosadas pelo equilíbrio, sem dúvida, essas recomendações seriam saudáveis, porém, o que se viu foi uma geração de pais cuidando dos filhos com tantos exageros, o que causou uma inversão de valores.

Se no passado as figuras centrais da casa eram os pais, a partir dali essa posição foi apoderada pelos filhos. A família passou a viver em função da criança, uma espécie de 'infantocracia'.

E o que motivou essa inversão de valores? O sentimento de culpa de muitos pais, que sentem a necessidade de indenizar os filhos pelas várias ausências, seja pelo excesso de trabalho que dizem ter para dar aos filhos o tal "padrão de vida", ou pela ausência de um dos pais após o divórcio. Na média, o pai ausente presenteia para comprar o afeto, e a mãe superprotege para compensar a falta desse pai. Os resultados são catastróficos!

Além de oferecer muitas coisas para compensar a falta, os pais têm dado às crianças muito poder de escolha quando elas ainda não têm maturidade para tal. Escolhem a que horas vão dormir, o que querem comer, o celular que desejam, que música vai tocar no carro, e por aí vai. Já vi casos em que o carro da família é escolhido pelos filhos, pasme você!

No entanto, sabe o que acontece quando eu dou poder a quem não tem conhecimento nem maturidade? Crio um déspota. E por quê? Entre as famílias antigas autoritárias e as atuais permissivas está bem claro hoje que os danos são causados na formação da personalidade dos filhos, que são muito piores nas famílias atuais, perdidas e permissivas, reféns dos filhos.

Eu digo sempre que um filho criado numa família autoritária, em muitos casos, pode até ficar traumatizado e magoado, mas como ele recebeu certos valores essenciais, ele consegue ser funcional, estudar e autodeterminar-se. Lembrando que o autoritarismo jamais deve ser adotado como método eficaz de educação.

Todavia, numa família sem regras, sem disciplina, em que os filhos não valorizam a educação e não respeitam professores, uma vez que não respeitam os pais, esses aprendizados são a eles negados.

Como resultado disso vemos adultos financeiramente incompetentes, incapazes mesmo de se manter, vivendo às custas dos pais, como filhos exigentes que minam aposentadorias. E quando trabalham, tudo que ganham é gasto com suas despesas pessoais, como celular da moda, roupas caras, carros, além das baladas nos fins de semana e das viagens que os pais muitas vezes jamais fizeram. O resto, casa, comida e roupa lavada, quando não fraldas, mensalidade escolar, planos de saúde e tudo mais dos netos, é bancado pelos pais enquanto estão vivos.

A família do passado era muito claramente orientada no seguinte aspecto: os pais não tinham preocupação se os filhos os amavam ou não, mas não abriam mão do respeito. Não me lembro de meu pai ou minha mãe chegar e dizer: "Meu filho, você me ama?"

Mas, os pais de hoje perguntam, inseguramente, feito adolescentes reprimidos: "Meu filho, você me ama?"

Olha só o que aconteceu comigo. Uma vez, aos 16 anos, ganhei de meu avô um abadá para brincar uma micareta, aquele carnaval fora de época, que ocorre após o carnaval de Salvador, o nome sempre rima com o da cidade, então, na minha cidade chamava-se Micarande.

Eu estava entusiasmado para seguir atrás de "Chiclete com Banana" e todos os outros, mas o abadá estava além das possibilidades financeiras. Nossa família não tinha recursos, o dinheiro ali contadinho para o essencial.

Então, meu avô me fez aquele agrado! Ele era muito especial e várias foram as cenas importantes em nossa vida. Peço licença ao leitor para ir contando algumas, porque considero exemplos muito bons do que aqui formos tratando.

Eu não cabia em mim de contente, com a possibilidade de ir à Micarande, quando minha mãe disse assim:

– Você não vai.

Eu respondi:

– Eu vou, meu avô me deu o abadá...

– Mas não vai, porque é menor de idade, e quem manda em você sou eu.

– Tem nada, não. Quando eu tiver dezoito anos, eu vou!

– Grande besteira, não muda nada aos 18 anos, nenhuma mágica acontece. E você também não iria se já tivesse 18 anos. Enquanto depender de mim, quem manda aqui sou eu. Você se hospeda na minha casa e esse quarto me pertence...

– É muito engraçadinha a senhora, quando acabar ainda quer ser amada, né, criatura?

Ela olhou bem para mim, com aqueles olhos penetrantes de mãe, e disse de forma calma e profunda:

– Meu filho, quem botou na sua cabeça que eu quero o seu amor?

Aí, eu choquei! Sabe o Gato de Botas, aquele olhinho de triste e abandonado?

– Mãeee! Você não quer o meu amor? – disse quase chorando.

– Meu filho, amor é uma escolha adulta e madura. Eu, por exemplo, te amo. Aliás, as mães, na maioria das vezes, são as únicas que jamais desistem dos filhos. Se você for a um presídio no domingo, o que você mais verá são mães indo visitar e levar mimos para os seus filhos. Eu escolhi te amar independentemente de como você seja. Eu não preciso de seu amor, mas não abro mão do seu respeito, portanto, você não vai, entendeu??? Nem hoje, nem amanhã, nem enquanto depender de mim, porque aqui é assim, minha casa, minha lei!

Eu, claro, saí revoltado, bati a porta, pah! Gritei "eu te odeio!" Fiquei três dias sem falar com ela.

E o que marcou foi que entrei no quarto, ela não foi atrás, não disse a frase: "Oh, meu Deus, ele vai me odiar!", típica daquela insegurança que há hoje. Nos dias seguintes, ela simplesmente me ignorou. Fazia tudo, mas falava secamente.

Aí, você sabe, a vida vira um inferno. Pois, ninguém suporta a indiferença da mãe ou do pai. É arrasador quando eles sequer olham para você direito, você fica completamente desnorteado, só volta a ter paz quando recomeça a falar com eles.

É que existe um poder que os pais têm, e que os pais atuais raramente utilizam, pois muitas mães e pais se perdem aos berros se trocando com os filhos, e se desmoralizando a cada show de gritos que não leva a lugar nenhum.

Apenas muito tempo depois, já cursando psicologia, estudando sobre afetos e personalidades, eu entendi a importância daquele dia para minha vida toda.

Na verdade, o amor é o mais sofisticado dos sentimentos humanos.

Para que ele ocorra, é preciso ser antecedido por uma série de sentimentos, como uma espécie de pré-requisitos para que o amor aconteça, de tal modo que somente o alcançamos de forma mais plena na maturidade, e que uma criança e um adolescente não possuem ainda.

Essa assertiva pode ser explicada pela Matemática – algo acontece se e somente se tais condições forem oferecidas. Em outras palavras, digamos que você ama alguém se e somente se tais condições forem dadas.

Então, se você tem filhos pequenos ou adolescentes, lamento informar que eles ainda não te amam plenamente, pois necessitam, antes de ter amor por você, dois sentimentos, e vou provar isso a seguir.

2.
O que vem antes do amor?

A prova de que você sabe do que estou falando é que quando os filhos querem alguma coisa, eles usam todo um teatro de doçura:

– Maiínha...! (ou manhê, mãezinha, mamis, fofucha e por aí vai).

Ou se você é o pai:

– Paiínho...! (da mesma forma: paiê, paizinho, papi, fofão...).

E você já responde:

– "Quê que cê quer"?!

Quando você responde isso é porque sabe que ali há um interesse, já sabe que vem um pedido. Ainda não há amor maduro, mas haverá, se as condições para que o amor ocorra forem construídas no relacionamento entre pais e filhos.

Não há nada de novo e de espantoso nisso, apenas a confirmação de que não nascemos prontos. Os sentimentos, o aprendizado, enfim, a maior parte de nosso repertório emocional e intelectual é construído ao longo de nossas vidas, a partir dos relacionamentos que temos, sobretudo, com os pais. Assim, depende muito mais de você do que deles.

Ao nascermos, recebemos vários talentos pessoais e sem sombra de dúvida os filhos são os principais, os mais importantes talentos que Deus espera que multipliquemos em virtudes e competências. Nenhum pai deseja ouvir de Deus: "Servo infiel, que fizeste com o talento que te dei?"[2]

A essa altura, você deve estar se perguntando: o que significa dizer que o amor é o mais sofisticado dos sentimentos?

Simples. Para que eu ame, preciso primeiramente respeitar e admirar. Eu só amo aquele a quem respeito e admiro.

Antes de aprender a amar, crianças e adolescentes precisam aprender a respeitar.

Volto a dizer: os pais do passado em nenhum momento estavam preocupados em ser amados, mas jamais abriram mão de ser respeitados. E com isso conseguiram o amor e o respeito.

---

2 Mt: 25,26.

Os pais de hoje, inseguros, querem ser amados, mas não se fazem respeitar e ao final não conseguem nem o amor nem o respeito.

Atribuo essa atitude a algumas falhas lamentáveis: preguiça e falta de limites em alguns casos e bajulação e culpa, noutros, isso quando não ocorre tudo junto.

No primeiro caso, da preguiça e falta de limites, vemos o quanto confortável é chegar em casa, após um exaustivo dia de trabalho, sentar-se em frente a uma tela para ver seus programas favoritos, ou nas redes sociais ou *WhatsApp* e deixar a criança num *tablet* ou *smartphone* qualquer, passando o dedinho na tela *touch screen* e te deixando "em paz".

Algumas crianças têm um comportamento tão automatizado que pensam que tudo é *touch screen*, e o que as incomoda pode sumir com o deslizar dos dedos.

Façamos uma reflexão. O que ela está acessando é seguro? É saudável? É educativo? A *internet* é um vasto mundo de informações e atrações, mas quando se trata de crianças e adolescentes é preciso saber o que acontece para evitar desgraças maiores no futuro.

É como deixar seu filho pequeno perambular pelas ruas de uma metrópole, sozinho, exposto a influências, situações conhecidas e desconhecidas que tanto podem ser boas quanto más. Ele não tem a maturidade, nem os recursos psicológicos para discernir um do outro e se defender ou resistir ao mal.

Exagero? Vou contar uma história que ilustra bem esse fato.

Certa vez fui visitar um amigo querido, cujo filho eu tenho como se fosse um sobrinho, e que me chama de tio. Quando cheguei à sua casa, meu amigo estava terminando uma ligação, então, resolvi ir ao quarto do (nome fictício) Pedro, para conversar com ele enquanto meu amigo concluía a ligação.

Quando abri a porta repentinamente, ele estava, com quatorze anos, vendo um vídeo pornográfico. Surpreso, ele arregalou os olhos e deu um pulo da cadeira. Na sequência, seu pai vinha pelo corredor me chamando, foi quando Pedro, desesperado me disse: – Tio, por favor, pelo amor de Deus, não conte a painho não.

Ele pulou na cadeira, deu pausa no filme e minimizou a aba do navegador onde estava o filme sendo exibido e, mais rápido que um atirador de faroeste, abriu outra aba onde estava passando um vídeo do Padre Fábio de Melo, fazendo uma palestra na Canção Nova. Quando o pai entrou me disse todo orgulhoso:

– Rossandro, esse seu sobrinho é um menino fantástico. Enquanto muitos da idade dele fazem uma bobagem atrás da outra, ele passa o dia todo trancado aqui no quarto e, como você pode ver, quando não é assistindo aos vídeos do Padre Fábio, é estudando. Não é, meu filho? – disse ele, esperando a concordância do filho.

Pedro sorriu para mim sem graça e disse quase como uma cabra: – Eehhhh.

Então, para desespero dele, eu disse:

– Pedro, minimiza a aba da palestra do Padre Fábio de Melo.

Ele olhou para mim, colocou as mãos em posição de oração e disse num gemido:

– Tio, por favor, não...

O pai, sem entender nada e estranhando a situação, perguntou:

– O que foi, Pedro, o que é que está acontecendo?

Aí, eu insisti de forma mais enfática:

– Mostra para o seu pai o que você faz aqui trancado no quarto.

Ele minimizou a tela e apareceu a cena do filme, congelada numa visualização meio tragicômica. Meu amigo surpreso disse:

– O que é isso, Pedro, pelo amor de Deus!

Foi quando eu respondi:

– Amigo, isso é o que eu e você fazíamos na idade dele, só não tinha *internet* rápida, lembra? Na nossa infância, comprávamos revistas pornôs usadas, numa clandestinidade que parecia que estávamos comprando drogas numa boca de fumo. Guardávamos bem escondidinho, mas não tão escondidinho quanto queríamos, pois nossas mães sempre achavam. Quando a *internet* chegou era discada. Fazia um barulho desgraçado para conectar e ocupava a linha telefônica da casa. Demorava tanto a baixar uma foto de mulher nua que nem dava tempo.

Ele riu sem graça e confirmou minha narrativa. Então, eu concluí:

– Pedro precisa de orientação, não de castigo. Precisa de limites e de uma certa vigilância. Ele não pode passar o dia aqui em sites pornôs, não vai conseguir estudar nada. Bobo foi você que esqueceu o que costumávamos fazer quando tínhamos essa idade, ou seja, a mesma coisa que ele. Já imaginou nossa adolescência com *internet* de 25Gb no quarto? Eu não estudaria mesmo. Mas, graças a Deus, nossos pais nos orientaram e nos deram limites.

Rimos os dois, enquanto Pedro se sentia um pouco aliviado.

Já no segundo caso, a bajulação e a culpa, percebemos o quanto os pais ou outros responsáveis necessariamente precisam deixar a sua zona de conforto para ouvir seus filhos, orientá-los, dar carinho e algo que hoje as pessoas têm grande dificuldade: dar limites.

Isso não significa ser duro, intransigente ao extremo, violento, berrar descontroladamente feito um tirano, mas ter autoridade para dizer clara, firme e mansamente: "Basta, não ultrapasse esta linha".

Limites não representam tolhimento da criança e de sua criatividade.

Se ela quer desenhar, folhas e cartolinas existem para isso, a parede da casa não é o lugar para a "expressão da criatividade", como dizem alguns pais.

Em total incapacidade de dar limites, os pais começam a bajular as crianças, comprando seu afeto, o que provoca distorção completa na capacidade da criança lidar com seus desejos, tornando os pais reféns de crianças que nunca estão satisfeitas e sempre querem mais e mais. Por isso, muitas pesquisas concluem que ter filhos aumenta a infelicidade de muitos casais. Fica claro que essa infelicidade não advém da chegada dos filhos, mas desse modelo de educação que torna os pais reféns dos próprios filhos.

Apenas para ficar em um de muitos exemplos do que estou falando, na edição de abril de 2009 do jornal online da *British Psychological Association, Nattavudh Powdthavee*[3], um pesquisador da Universidade de York na Grã-Bretanha apresenta uma série

---

3 Nattavudh, POWDTHAVEE, *Think having children will make you happy?* Acessado em 03/12/2016 e disponível em https://thepsychologist.bps.org.uk/volume-22/edition-4/think-having-children-will-make-you-happy.

de estudos, que concluem haver mais infelicidade nos casais com filhos. Vários estudiosos encontraram evidências de que, no conjunto, casais com filhos geralmente relatam níveis estatisticamente mais baixos de felicidade, satisfação com a vida e bem-estar mental em comparação com os casais que não têm filhos.

Mas, isso tem ocorrido, repito, principalmente nas famílias cujo modelo de educação ineficaz deixa os filhos no comando da casa. Claro, se você criar um déspota mirim, você será súdito dele, e certamente será infeliz nesse reino infantil e cheio de birras e chiliques.

Muitos pais, na verdade, estão acabados, nocauteados. Após um dia de trabalho exaustivo se veem obrigados a assistir pela centésima vez a Peppa Pig, cujos diálogos já decoraram tanto, que podem reproduzir até com entonação. E quando você tem a ideia temerária de dizer: – Tá bom, já chega, vamos dormir. Você e toda a vizinhança ouvem um grito acompanhado de um choro que parece que você está espancando violentamente a criança, e para parar aquele berro infernal, se vê obrigado a assistir a tudo de novo, sem ao menos o direito de fechar os olhos, pois ao tentar fazê-lo escuta: – Pai, Mãe olhaaaa.

Nesses casos, saímos do modelo pais omissos que não dão a mínima atenção aos filhos e os deixam carentes, para os pais prisioneiros de uma ditadura mirim. Em ambos os casos, só vemos prejuízos.

Assistir a desenhos com os filhos, repetir várias vezes é natural, e mostra interesse pelo universo infantil. Mas, fazer isso exaustivamente não ajuda a criança a respeitar limites e controlar sua ansiedade. É simples dizer: "Amanhã você vê mais", aguentar a birra e o drama que se seguem ao "não" e manter a ordem.

Você não sabe mais o que é a intimidade de entrar sozinho no banheiro, perde a privacidade totalmente, tem sua cama invadida pelos "sem camas", que dominam seu território a tal ponto de, às vezes, você chorar, com vontade de sumir e ainda depois chora ainda mais se sentindo culpado por ter pensado assim.

Uma pequena ressalva. Dormir na cama dos pais é algo maravilhoso e acolhedor. Não se trata de proibição, mas de equilíbrio. Não leve os filhos para cama apenas quando estão doentes e precisam de cuidados, pois eles podem adoecer só para ter essa recompensa maravilhosa. Crie o dia *todos dormimos juntos*, transformando essa experiência em algo lúdico. Você também irá adorar essa noite especial.

Mas, não perca sua intimidade e seu espaço. Vejo pais que frequentemente dormem no quarto da criança e deixam o outro com o filho no quarto.

Bem, se você perdeu sua cama, só vê desenho repetidamente, só come o que seu filho quer comer, e por aí vai, lamento informar, a culpa de tudo isso é sua e de mais ninguém. Se você chegou a esse ponto foi por sua incapacidade de fazer seu filho aprender que antes de ele chegar ao mundo, o mundo já existia com suas regras, às quais ele deve se adaptar, não o contrário.

Quando você não ensina ao seu filho que ele não está sozinho no mundo, reinando absoluto, você não constrói nele uma noção essencial no desenvolvimento psíquico, a de que existe o outro e que para se relacionar com esse outro é preciso respeito e acordos. Ou pior ainda:

você pode fazer seu filho acreditar que os outros que existem, estão ali com a única função de servi-lo, já que você virou uma espécie de mordomo do seu rebento.

Por terem seus desejos sempre atendidos, as crianças desenvolvem ansiedade exacerbada, não suportando a mínima frustração, nem respeitando etapas ou processos comuns a tudo na vida, ou seja, não suportam esperar. E a pior consequência dessa ansiedade é sentida na aprendizagem, uma vez que aprendemos por repetição, por ter de fazer e refazer a tarefa, tolerar a frustração de uma nota baixa, por exemplo.

Enfim, é o caos anunciado.

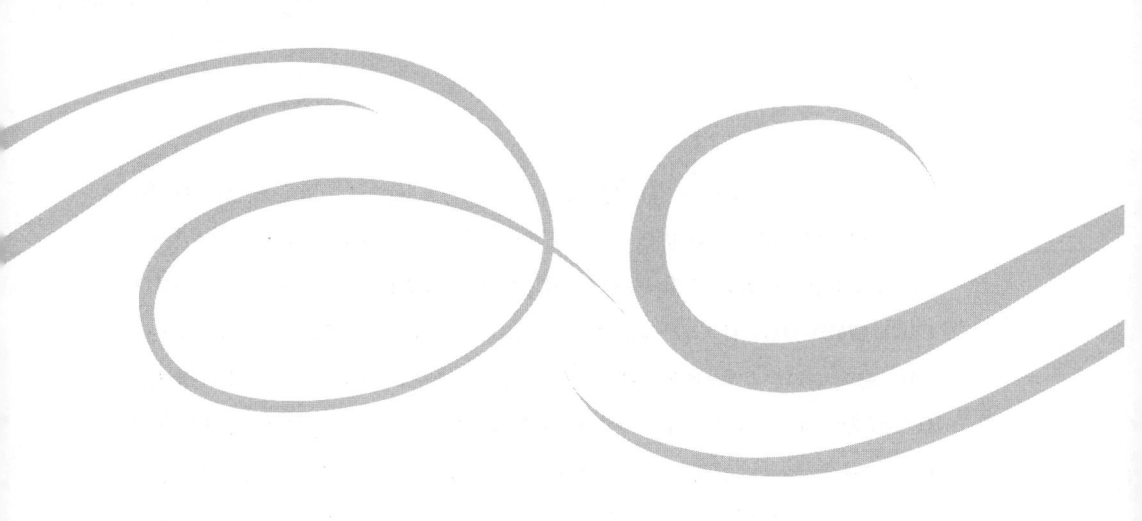

3.
Filho tem direito à privacidade?

Não existe um padrão unitário e culturalmente válido para qualquer coisa nesse mundo, e isso também vale para educação de filhos, pois não existe receita de bolo para essa tarefa. Não obstante, o objetivo final de todos os pais, em todas as culturas, seja o mesmo, ou como afirma Whiting (Em Mitteness, 1982), a educação de crianças, em todos os lugares, e em aspectos bem significativos, é idêntica, já que os pais estão "sempre envolvidos com os problemas de comportamento dos filhos, de modo que em todas as sociedades, o bebê frágil, desamparado e desprovido de autonomia, deve ser transformado num adulto capaz e responsável"⁴, obedecendo para tanto às regras da sociedade a qual pertence, ou seja, em qualquer cultura a qual pertença, o desenvolvimento de competências por parte dos filhos é o resultado de aprender a viver dentro das regras presentes em cada sociedade, mesmo que depois, mais maduros, eles questionem e mudem as regras da cultura.

Quando as crianças agem em completa desobediência ao que já estava estabelecido, se tornarão vulneráveis e muito incapazes de conviver e vencer num mundo tão cheio de desafios.

Para que as crianças e os adolescentes respeitem essas regras, eles precisam de disciplina, que muitos pais confundem com autoritarismo. Assim, abrem mão de seu papel se eximindo ou se omitindo de ser um agente disciplinador, provocando um desastre na educação dos filhos.

Ao contrário do que muitos pais pensam, a disciplina não tem por objetivo podar ou oprimir, mas estruturar a vida da criança de tal modo que ela consiga se encaixar no mundo real, tal qual ele é, e não tentar adequar o mundo ao seu ego infantil.

---

4 Linda S. MITTENESS, phd. Jill E. Korbin ed., *Child Abuse and Neglect*: Cross-Cultural Perspectives. Medical Anthropology Quarterly: International Journal for the Analysis of Health. Volume 13, Issue 4 Pages 23–24, 1982.

Disciplinar as crianças é uma das responsabilidades mais importantes e difíceis para os pais e cuidadores e, como sabemos bem, não há atalhos. Muito pelo contrário, essa tarefa leva tempo, repetição e muita disposição. No entanto, o ritmo apressado do mundo atual tem se tornado um grande obstáculo para a disciplina dos filhos.

A disciplina é base para o desenvolvimento de algo fundamental na vida, a autodisciplina da criança. Com esse recurso, a criança é capaz de adiar o prazer, desenvolver empatia e estar atenta às necessidades dos outros, mas nem por isso é um ser despersonalizado. Será que seu filho é assim?

Ele também é assertivo, pois consegue dizer o que pensa e o que quer, sem usar de agressividade para tal.

A autodisciplina desenvolve também a capacidade emocional, em criança e adolescente, de suportar derrotas, perdas, aguentar críticas, sem sofrer abalos significativos, já que desenvolve neles um senso interno de autocontrole.

Mas, para conseguir ter moral para disciplinar, os pais precisam antes se fazer respeitar, como vimos.

O fundamento de qualquer educação eficaz é o respeito. Mas, existe um grande obstáculo para a conquista do respeito: a inconsistência ou a vacilação dos pais com as normas. Essa vacilação confunde qualquer criança, independentemente da idade.

Além disso, a inconsistência na aplicação da disciplina torna a educação permissiva e sem limites, e os prejuízos desse tipo de educação são conhecidos. Mas, o oposto disso também é pernicioso, pois uma educação severa demais, rígida e agressiva, que só humilha e denigre a criança, também é nefasta e destrutiva.

Para evitar os extremos da agressão ou da omissão, a educação dos filhos deve ser pautada em valores.

A verdade é que se as famílias ensinassem os valores morais aos filhos em casa, teríamos muito menos desajustes emocionais. Mas, não vamos ficar aqui numa discussão acadêmica sobre o que são valores. Na verdade, é bem simples, as crianças não estão aprendendo com seus pais a diferença entre certo e errado.

Contudo, esse aprendizado não acontece por meio de discurso, mas sim pelo exemplo. Por isso, que exemplos de honestidade e veracidade são mais eficazes do que normas ou cansativas pregações morais.

A força da educação baseada em valores é impressionante. Todo esforço da escola tem por objetivo nos deixar um legado de conhecimento que se fixe indelevelmente em nossa memória. Do jardim da infância até a universidade, o volume de conhecimento e de repetição é impressionante. Mesmo assim, constato: quantos conhecimentos de biologia, química, física e até de regras linguísticas esqueço todos os dias. No entanto, não esqueci uma única lição, uma única regra dos valores que aprendi com meus pais.

Mas, o que toda essa discussão de regras, disciplinas e moral tem a ver com privacidade? Pois é, no passado a privacidade era apenas não entrar no quarto do filho (um erro a meu ver), hoje é bem mais complexo com o advento da *internet* e das redes sociais.

Tema cada vez mais presente nas discussões sobre educação, o acesso à *internet* e tudo que nela há divide muitos pais. Para alguns, os pais têm o direito absoluto (ou o dever) de investigar gavetas, mochilas, armários, diários e senhas de redes sociais.

Outros, inversamente, acreditam tratar-se de uma agressão, e por isso não acham prudente invadir a privacidade dos filhos, dando a eles um voto de confiança e, apenas em caso de quebra dessa confiança sentem-se autorizados a investigar.

No centro desse debate está a pergunta: "Será que nossos filhos têm direito à privacidade?" Bem, como em tudo na vida, aqui também não há consenso e não podemos responder a essa questão com um simples Sim ou Não.

Não restam dúvidas de que é extremamente saudável construir relacionamentos com os filhos que tenham por base a confiança e o respeito mútuo, proporcionando a eles a maior privacidade possível.

Todavia, enquanto você está sendo cauteloso demais, respeitando totalmente a privacidade de seu filho e bancando o politicamente correto, do outro lado da tela do computador ou do smartphone o mesmo não acontece.

Marginais e maníacos de todas as espécies contam com sua omissão, desculpem a força de expressão, para invadirem os computadores e demais equipamentos das crianças e adolescentes, vasculhando senhas e informações, para todos os tipos de golpes, que vão do financeiro ao sexual. E isso não é exagero, infelizmente.

A chave para encontrar equilíbrio saudável nessa área é definir as expectativas certas e ser franco com os filhos. Não é prudente, por exemplo, os filhos pequenos fecharem suas portas quando usam o computador, mas as regras também dependem da idade que eles têm.

Não esqueça um preceito bem simples da vida: os filhos estão em processo de amadurecimento, ainda não estão prontos e maduros. Ao longo dos anos, eles mudam de interesses. É assim que a doçura dos primeiros anos dará lugar à curiosidade, que vai chegar lentamente até dominar todos os seus objetivos.

Portanto, tenha cuidado antes de decidir dar plena liberdade aos seus filhos, quando ainda não possuírem a maturidade necessária para arcar com as consequências disso.

Como tudo na vida, quanto mais cedo você agir, melhor. Por isso, o certo é discutir a segurança online com seus filhos nos primeiros anos, assim que eles começarem a fazer qualquer coisa que envolva a *internet* e redes sociais.

Além disso, seria extremamente produtivo para você e seus filhos acessarem juntos a *internet* nos primeiros anos de vida deles, assim você teria a oportunidade de demonstrar o que é ou não seguro nas buscas que eles fazem, ajudando-os a desenvolver senso crítico em relação aos conteúdos.

Na verdade, grandes nomes das empresas de tecnologia do mundo limitam o uso de *internet* e *smartphone*s dos filhos, e eles sabem muito bem o que estão fazendo.

Somente para ficar num exemplo bastante simbólico, e que pode ser reconfortante para muitos pais compromissados com a educação dos filhos, ou angustiante para os que têm se omitido. Bill Gates, fundador da Microsoft e uma das maiores personalidades do mundo em tecnologia, numa entrevista ao jornal inglês *The Mirror* (na edição do dia 21 de abril de 2017), afirmou que seus filhos não ficam o tempo que desejam na *internet* e com celulares.

O pai de Jennifer, 20, Rory, 17 e Phoebe, 14, deixa bem claro: "Nós não temos celulares na mesa quando estamos tendo uma refeição, nós não damos celulares para crianças antes que elas tenham 14 anos. Elas se queixaram de que outras crianças ganham mais cedo".

Talvez Bill e Melinda Gates tenham ouvido dos seus filhos, "mas, todo mundo tem" e tenham respondido o que muitos de nós ouvimos de nossos pais: "mas, você não é filho de todo mundo".

Além disso, ele e a esposa, Melinda, colocam um horário limite para que os filhos mais novos usem o aparelho antes de dormir. O motivo, hoje comprovado por várias pesquisas, ir para a cama em um horário razoável, melhorar a qualidade do sono e por consequência melhorar a memória.

Seria bem recomendável que as crianças nunca, em nenhuma circunstância, navegassem pela *internet* desacompanhadas dos pais ou responsáveis.

Uma dica, os dispositivos (*smartphone*s e *tablets*) podem ser configurados de modo a esquecerem a senha de acesso Wi-Fi da casa. Assim, as crianças terão de pedir para os pais colocarem a senha sempre que quiserem acessar a rede, desse modo você sempre saberá, ao menos em casa, quando elas estarão online, permitindo mais vigilância.

Fale com seus filhos acerca dos riscos, pois não duvide, chegará o momento em que terão acesso à *internet* sem sua supervisão. Então, fale abertamente de conteúdos inadequados e da existência de pessoas perigosas.

Vamos lembrar que no passado ouvíamos: "não aceite bombom de estranhos"; "se alguém lhe tocar onde não deve, fale", então, o mesmo vale para o mundo online. Devemos pedir às crianças que informem imediatamente a respeito de qualquer abordagem online de pessoas desconhecidas.

Outra questão: as redes sociais têm gerado uma sede exagerada de popularidade, de seguidores, como nova forma de status para as crianças e jovens de hoje. Não se pode tolher essa tendência e reprimir. Mas, é importante certificar-se de que seus filhos, sobretudo quando crianças, só aceitem mensagens de amigos e solicitações de contato de pessoas conhecidas.

É, igualmente, recomendável, em caso de crianças e pré-adolescentes, que você acompanhe os posts dos seus filhos e dos amigos. Para isso, você terá de se tornar seguidor de alguns deles. Claro que seus filhos vão achar isso o maior mico e vão protestar, mas cumpra o seu papel e use sua autoridade, para deixar bem claro que essa é uma das condições para eles terem acesso a redes sociais.

Mas, tudo isso deve ser feito com diálogo e sem opressão, pois o efeito pode ser o contrário ao tentar apenas reprimir e incutir medo. A tendência é que, com o tempo, o filho rebele-se contra a opressão, pois o ser humano anseia por liberdade e sempre encontra um meio de burlar o sistema.

Essa burla ocorre por dois motivos – primeiro a repressão, a censura sem diálogo aumenta fortemente a curiosidade da criança, que começa a se perguntar o tempo todo: "Por que não posso ver essas coisas e falar com essas pessoas?"

Segundo, vamos ser realistas! Com toda essa tecnologia à disposição, teríamos de deixar de viver apenas para monitorar os filhos. Além disso, existe uma imensa lacuna digital entre os pais e seus filhos que aumenta a cada geração.

Nos Estados Unidos, um estudo recente da empresa de segurança McAfee (conhecida corporação que produz antivírus), revelou uma série de dados preocupantes. Segundo esse estudo, 25% dos pais não estão monitorando os comportamentos *online* de seus filhos. Muitos pais afirmam não terem tempo nem disposição para esse monitoramento, enquanto outros se sentem impotentes por perceberem que seus filhos têm domínio muito maior das tecnologias.

Um exemplo bem prático. Você desconecta o Wi-Fi de sua casa, mas seu filho "hackeia" o sinal do vizinho e acessa a *internet* bem tranquilo no quarto. Foi baseado em história como essa que a pesquisa também constatou outra questão - muitos pais superestimam o que eles sabem sobre a *internet*, quando na verdade eles não têm a mínima ideia do que seus filhos estão realmente fazendo.

Como você não pode ser um** Big Brother **na vida dos seus filhos, vigiando-os 24 horas, o que seria um desastre na vida de ambos, é necessário criar alguns critérios que possam indicar quando e como aumentar ou diminuir essa vigilância.

Dois critérios são bem simples: a idade dos filhos e o grau de suspeita que você tem do comportamento deles. O ideal é começar cedo, quando são crianças, pois quanto mais velhos ficam e passam a dominar as tecnologias, mais improdutivo fica o monitoramento.

Educá-las e capacitá-las continua sendo a melhor prevenção, pois assim, o seu filho poderá ajudar a si mesmo. Numa frase: a vigilância não substitui a educação com valores.

Muitos pais, omissos ou preguiçosos, têm comprometido fortemente o desenvolvimento emocional de seus filhos. Permitir o uso indiscriminado da *internet* é um dos exemplos que termina por provocar prejuízos de todas as ordens – moral e educacional – na vida dos filhos.

As escolas e os professores têm sido vítimas dessa omissão. Os alunos chegam com *smartphones* com 3G ou 4G, e continuam conectados enquanto a aula acontece. Além do evidente desperdício do conteúdo da aula, ficam à vontade para navegar sem nenhuma vigilância dos pais. E quando a escola chama os pais para falar acerca dessa distração, não encontra o apoio dos mesmos. De fato, a verdade é que muitos pais não fazem a menor ideia do que seus filhos fazem nas redes sociais e com quem se relacionam virtualmente.

Se você ama seu filho e quer o melhor para ele, faça um esforço e deixe de ser um analfabeto digital. Aprenda a usar essas tecnologias para poder ensiná-los a usar com limite, cuidado e respeito.

As crianças cometem erros, é seu trabalho, repito, *seu trabalho*, como pai e mãe (e demais que cumprem esse papel) ajudá-las a caminhar pelas estradas da vida, virtuais ou não, para que possam aprender através dos erros, contando com os pais para orientá-las, não puni-las, como condição para torná-las capazes de um dia caminhar sozinhas.

Mas, quero voltar à questão da privacidade. Não são apenas as redes sociais e a *internet* que precisam de vigilância. O quarto, a gaveta, os amigos, os lugares também devem ser objeto de cuidado dos pais.

A grande questão é se o direito à privacidade dos filhos deve superar a necessidade que eles têm de segurança. Se você monitora é chamado de opressor, mas se deixa à vontade e ocorrer um problema, será chamado de irresponsável ou, até mesmo, processado por abandono de incapaz. Sabia disso?

Apenas para alertá-los: o *Abandono de incapaz* encontra-se no Código Penal Brasileiro no capítulo da *periclitação* (palavra que diz do estado de estar em perigo), de vida e de saúde. No artigo 133 está escrito: *Abandonar pessoa que está sob seu cuidado, guarda, vigilância ou autoridade, e, por qualquer motivo, incapaz de defender-se dos riscos resultantes do abandono*. As penas variam de 6 meses a 12 anos de reclusão, caso a omissão leve à morte. Agora pasme! Menores de 16 anos são considerados pelo Estado como incapazes. Vou repetir: menores de 16 anos são incapazes para os doutrinadores e constitucionalistas que construíram esse artigo.

> *Então, repense se você não está sendo omisso com os filhos, deixando de norteá-los e abandonando-os à imaturidade, pois, em várias situações, eles realmente ainda são incapazes.*

Então, como equilibrar isso? Como ficar mais focado em educar e cuidar do seu filho do que dar satisfação à torcida organizada do Flamengo? Pois, você já percebeu, se der errado, só você paga a conta.

Para isso, precisamos ser realistas. Uma das coisas que minha mãe mais ouvia: que ela era dura demais, invasiva demais comigo e com meu irmão mais velho (tenho mais dois irmãos queridos do segundo casamento do meu pai).

As pessoas diziam que essa rigidez toda iria nos estragar, nos deixar frágeis. Mas, ela sabia ser rígida na hora certa e na questão certa. Queria saber com quem andávamos e o que fazíamos. Não dormíamos fora de casa (a realidade hoje é diferente, bem sei). Mas nos dava liberdade de pensar, de questionar, de vivenciar uma religiosidade diferente da dela.

Muitos diziam que eu e meu irmão não teríamos futuro. Graças a Deus e à minha mãe guerreira, não foi o que aconteceu conosco. As mesmas pessoas disseram depois para minha mãe: "Como você teve sorte com os filhos!" Ela sempre respondia irritada: "Sorte nada! Foi muita ralação, muito choro, muita oração, muita angústia, mas muita esperança e certeza de que estava fazendo a coisa certa."

Outras perguntavam: "O que foi que você fez para seus meninos darem tão certo na vida?", aí ela respondia com uma clara satisfação: "Eu fiz tudo aquilo que você disse para eu não fazer. Me meti, me intrometi, mas também permiti, acolhi e orientei."

Por isso, que fique bem claro: existe uma razão pela qual os pais são responsáveis por seus filhos menores, de modo que precisamos urgentemente deixar de ouvir um monte de bobagens dos que pregam que os filhos devem ter total liberdade e privacidade.

Ok. Não podemos ser invasivos em excesso, permitindo assim relativa privacidade no quarto dos filhos, quando já estão maiores.

Mas, isso não quer dizer que o quarto deles seja um lugar sacrossanto e impenetrável, uma espécie de bat caverna.

A depender da idade dos filhos, bem como dos indícios que estejam observando, os pais têm não somente o direito, mas, sobretudo, o dever de "invadir" o quarto dos filhos, suas gavetas e suas redes sociais, para garantir a segurança e o bem-estar dos mesmos.

Pensar e agir de outro modo, abrindo mão dos seus direitos e deveres como pais, pode se configurar numa omissão perigosa, que ameaça a segurança dos seus filhos.

Repito: não se trata aqui de opressão, mas de responsabilidade e do devido cumprimento do papel que lhes é devido como pais. À medida que os filhos vão crescendo, eles devem e merecem ganhar mais autonomia e privacidade, pois um dia eles terão total autonomia e privacidade quando formarem suas famílias ou forem morar sozinhos.

Finalmente, está bem claro que a vigilância não substitui a construção de valores, que é a alfabetização para a vida. Ao aprender a ler o mundo, seus riscos, mas também suas possibilidades, os filhos poderão usar a liberdade de modo mais responsável e criativo.

Isso não é garantia de que não irão se machucar, errar e se ferir. Lembre-se, você já errou muito.

Ofereça valores e exemplos, e eles aprenderão rápido. E porque não se esquecerão do que foi oferecido por seus pais, poderão comparar com as suas próprias experiências. Desse modo, poderão optar por seguir a família, quando for o melhor, ou ir além dela, quando também isso for melhor para eles. Pois, nem sempre teremos a resposta para tudo. Além disso, cada geração, do seu modo e a seu tempo, encontra resposta para os desafios da vida.

Como vimos, há uma lacuna digital entre os pais e os filhos, uma vez que esses dominam muito mais as tecnologias. Não há muito que fazer sobre isso. Portanto, o exemplo e os valores são os patrimônios mais significativos que podemos deixar para os filhos. Com esse patrimônio, eles podem seguir por caminhos físicos ou virtuais, mas saberão voltar para casa.

O filho pródigo sempre pede liberdade e, agradecido pela concessão do pai, sempre volta aos seus braços. Volta diferente, mais maduro, mais capaz. Por isso, a festa em homenagem à maturidade que torna o filho finalmente capaz de também ser pai.

É importante que você saiba que não será menos respeitado ou admirado por seus filhos por não saber usar todos os "recursos" do celular que eles possuem. Isso irá ocorrer apenas se você não for "o recurso" afetivo essencial para eles, quando todas as tecnologias que eles tiverem à disposição se mostrarem incapazes de responder às angústias que surgirão em suas almas.

Acredite: seu ombro, seu colo, seu acolhimento e compreensão jamais serão substituídos por telas *touch screen* ou conversas de *WhatsApp*.

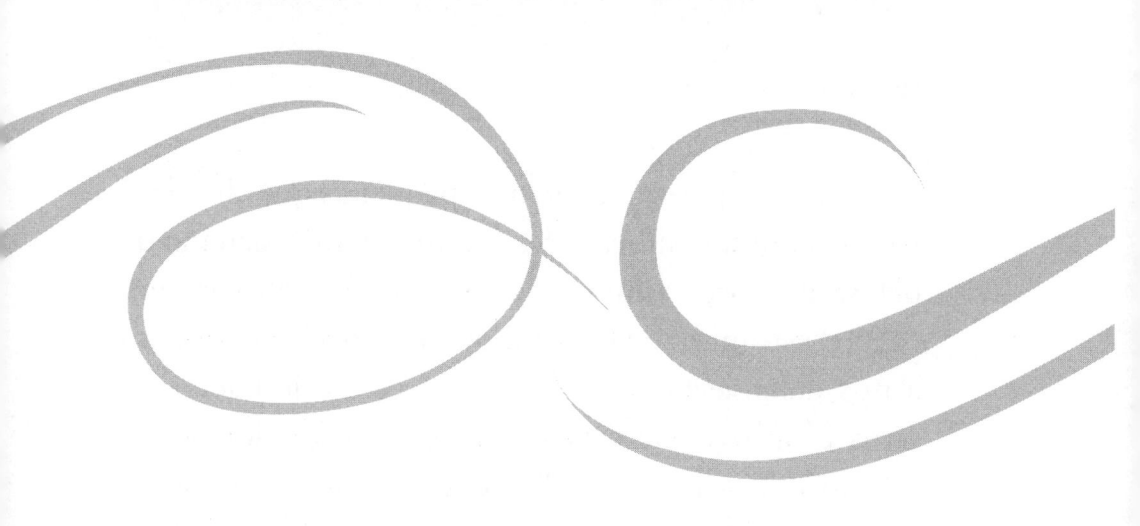

4.
Prepare seu filho para lidar com o mundo, e não para o mundo ter de suportar seu filho

Ok! A frase é legal, dá até para colocar numa camiseta e sair para caminhada para chamar atenção das pessoas. Mas, como fazemos isso?

Em 16 de outubro de 2015, a ex-reitora da Universidade de Stanford, Julie Lythcott-Haims, publicou um artigo no prestigiado Jornal *Washington Post*, no qual ela demonstrava de forma inequívoca que a superproteção dos pais está destruindo o futuro dos filhos. E você, sabe o motivo? Para chegar a essa resposta, antes eu queria te perguntar uma coisa. Você sabe o que são anticorpos?

Os anticorpos são proteínas pequenas que circulam na corrente sanguínea. Eles fazem parte do sistema de defesa do corpo (imunológico). Eles reconhecem um corpo "estranho". Desse modo, os anticorpos ajudam a nos defendermos contra as infecções de bactérias, vírus e outros micróbios, ou seja, apesar dos riscos que corremos todos os dias com tantos microrganismos nos ameaçando constantemente, podemos dispor de um sistema que nos defende e nos faz sobreviver a esses inúmeros ataques. Isso é o que chamamos de sistema imunológico, que é a defesa do corpo contra organismos infecciosos e outros invasores.

Mas, não nascemos com todos os anticorpos. A maioria deles adquirimos ao longo da vida, especialmente na infância, quando nos contaminamos, ou melhor, quando brincamos com areia, sujamos as mãos, pegamos doenças de outras crianças, tomamos chuva. Assim, o fato de adoecer, que a princípio pode parecer uma tragédia, na verdade nos fortalece.

Uma vez produzidos, esses anticorpos permanecem no corpo, de modo que se o nosso sistema imunológico encontra a doença novamente, os anticorpos já estão lá para fazer o seu trabalho, evitando que essa doença nos pegue novamente.

Acho que você entendeu aonde eu quero chegar. Ora, se a vida do organismo segue esse roteiro, bem ao modo de "é preciso se contaminar para adquirir anticorpos", não é difícil imaginar que nas questões de ordem emocional também possamos fazer uma relação semelhante, ou seja, é preciso sofrer, se decepcionar, se frustrar, ouvir não, cair, se machucar, perder, para aprender a lidar com tudo isso, criando uma espécie de rede de anticorpos emocionais que nos ajudem a nos defender das dores e decepções da vida. Mas, acontece que essa construção depende da ajuda dos pais na educação dos filhos.

É aí que voltamos aos achados de Julie Lythcott-Haims, ex-reitora da Universidade de Stanford, num artigo publicado pelo jornalista Heather Havrilesky, no *New York Times* em 15 junho de 2015.[5]

Durante dez anos trabalhando com os calouros da Universidade de Stanford ela se deparou com uma tendência preocupante. Os estudantes estavam cada vez mais brilhantes no desempenho de seu papel acadêmico, mas a cada ano tornavam-se mais incapazes de cuidar de si mesmos.

Ironicamente, enquanto isso ocorria, ela também notava que os pais estavam mais presentes e envolvidos na vida dos filhos, o que era sempre solicitado por todos os educadores, pois se acreditava que essa participação dos pais ajudaria muito no crescimento dos filhos.

Esses pais, dizia ela, conversavam com seus filhos várias vezes por dia, mas cometiam um erro comum

---

5 Heather, HAVRILESKY, *How to Raise an Adult*, by Julie Lythcott-Haims. *New York Times*, 15 de junho de 2015.

atualmente. Eles intervinham pessoalmente na vida dos filhos, sempre que algo difícil acontecia.

Como resultado, Julie Lythcott-Haims percebeu o que hoje professores, psicólogos e demais profissionais já sabem – que a superproteção pode, na maioria das vezes, fragilizar profundamente as pessoas.

A bem da verdade, temos de reconhecer a genialidade do pai da psicanálise Sigmund Freud, pois ele já havia "cantado essa pedra" em seus estudos sobre Narcisismo. Mais uma vez, vemos que o gênio se antecipa ao seu tempo, visto que foi somente no ano de 1971 que o teórico psicanalítico Heinz Kohut identificou, pela primeira vez, o transtorno da personalidade narcisista. Em 1980, esse transtorno foi incluído no DSM-III, o catálogo oficial de transtornos psiquiátricos.

Atualmente, estamos entrando em uma era de narcisismo epidêmico.

Uma história recente irá nos ajudar a compreender isso.

No ano de 2012, um professor de língua inglesa da Wellesley High School, em Massachusetts, uma das melhores escolas de ensino médio dos Estados Unidos, fez um discurso que entrou para história, para os formandos do 3º ano, equivalente ao 3º ano do nosso ensino médio.

Enquanto eles esperavam com roupas típicas e seus chapéus prestes a voarem pelos ares ao final do discurso, como vemos nos filmes de sessão da tarde, os alunos foram surpreendidos pelo professor David McCullough Jr. Eles ouviram mais de nove vezes a frase "vocês não são especiais", isso em um discurso de 13 minutos. Vejamos alguns trechos: "Ao contrário do que seus troféus de futebol e seus boletins sugerem, vocês não são especiais", disse McCullough logo no começo. "Adultos ocupados mimam vocês, os beijam, os confortam, os ensinam, os treinam, os ouvem, os aconselham, os encorajam, os consolam e os encorajam de novo. (...) Assistimos a todos os seus jogos, seus recitais, suas feiras de ciências. Sorrimos quando vocês entravam na sala e nos deliciamos a cada *tweet* seus. Mas, não tenham a ideia errada de que vocês são especiais. Porque vocês não são."

Claro que o discurso do professor logo parou no *YouTube* e a imprensa mundial entrou em polvorosa. Ele virou uma celebridade instantânea, dando uma grande contribuição nas reflexões que fazemos acerca de educação de filhos.

O discurso do professor McCullough acertou "em cheio" numa questão que chama atenção de pais, educadores, empresários: o quanto vemos hoje uma quantidade enorme de adolescentes e jovens adultos que "se acham", dotados de uma visão completamente irreal de si mesmos e de suas capacidades. Foi tanto "estímulo positivo", para não dizer bajulação, de pais e professores, que criou neles um excesso de autoestima, o que culminou por deixá-los incapazes de lidar com as frustrações do mundo real.

Essa espécie de expectativa exagerada dos jovens em relação a si próprios foi perfeitamente descrita no livro *Generation me* (Geração eu), escrito em 2006, por Jean Twenge, professora de psicologia da Universidade Estadual de *San Diego,* nos Estados Unidos.

O resultado dessa visão distorcida e inflada de si mesmo, comum à geração atual, é o que o psicólogo da Universidade da Geórgia, Keith Campbell chama de "epidemia de narcisismo", bem descrito em livro de coautoria com Jean Twenge, *The Narcissism Epidemic: Living in the Age of Entitlement*[6] (A Epidemia do Narcisismo: Vivendo na Era do Direito, numa tradução livre), que não foi lançado no Brasil ainda. Preste bem atenção ao subtítulo, "Vivendo na era do direito", remetendo a uma geração que acha que só tem direitos, mas não deveres. Isso te lembra alguém?

Segundo Campbell, os feitos nocivos do narcisismo levam a um excesso de confiança nas crianças e jovens, e uma consequente ideia fantasiosa sobre seus próprios direitos. Para a maioria esmagadora dos especialistas em comportamento humano, não resta dú-

---

[6] Jean M. TWENGE; W. Keith CAMPBELL, *The Narcissism Epidemic: Living in the Age of Entitlement.* Atria Paperback, New York, 2009.

vidas de que a educação equivocada que esses jovens receberam durante a infância é responsável diretamente por seu ego inflado e supersensível.

Keith Campbell é um especialista em narcisismo, reconhecido internacionalmente. Em seus muitos artigos acerca do tema, relacionando narcisismo e educação de filhos, ele costuma dizer que nenhum pai ou mãe jamais afirmou que tinha por objetivo criar um narcisista. Para ele, essa epidemia de narcisismo é consequência de uma cultura individualista. Há um discurso no ar de que temos que nos sobressair à força, para sermos especiais. Isso tem pressionado muitos pais a tentar, a todo custo, desenvolver a autoestima dos filhos, o que termina por inflar o ego dessas crianças, adolescentes e jovens adultos, tornando-os narcisistas.

Ao enfatizar que o filho é especial, único, "o cara", cria-se uma distorção na identidade, obrigando esse indivíduo a relacionar felicidade como resultado de ser melhor que os outros, mais bonito, com mais roupas de marca, com o corpo mais sarado, sexualmente mais atraente.

Na visão de Twenge e Campbell, o narcisismo é uma doença que leva profundo sofrimento, tanto para o narcisista quanto para os que convivem com ele. Os sintomas são perniciosos, entretanto, os mais comuns e mais facilmente percebidos são aqueles em que o narcisista vangloria-se de suas conquistas, enquanto culpa os outros por suas deficiências e fracassos. Opa! Culpa os outros por suas deficiências e fracassos? Isso lembra alguém? Lembra o adolescente que mora em sua casa? Um sobrinho? O filho ou filha de um amigo?

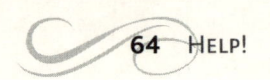

Ok, ok. Para os pais, os filhos são sempre especiais, até aí tudo bem, mas o que os pais precisam entender é que, segundo Campbell, eles não são especiais para o resto do mundo.

Acredito pessoalmente que fazer seu filho acreditar que seja melhor que os outros, na verdade, torna-os piores que todo mundo.

E por que digo isso? Porque no mundo, lamento infomar, sempre haverá pessoas mais lindas que seus filhos, mais inteligentes que eles, mais equilibrados do que eles e mais ricos do que eles, e toda vez que eles se depararem com essa realidade, entrarão em sofrimento profundo.

Isso explica, por exemplo, uma estatística chocante que vem surgindo ano a ano, nos relatórios da Organização Mundial de Saúde, que conclui lamentavelmente que o suicídio tem se tornado, a cada ano, a maior causa de morte de adolescentes em todo o mundo.

O fato é que o mundo não sabe a real dimensão do problema, uma vez que, comumente, em vários países, inclusive no Brasil, o(a) médico(a) legista não registra "a morte" tal qual suicídio, atendendo muitas vezes ao pedido da família, ou mesmo com objetivo de poupar a família dessa realidade tão triste.

Certamente, o aumento do suicídio não tem uma única variável explicativa, mas não há como negar que a fragilidade psíquica dos jovens de hoje, fruto de uma criação superprotetora, os têm tornado muito vulneráveis.

Isso porque está claro que a educação moderna exagerou no culto à autoestima, produzindo assim "adultecentes", ou adultos infantilizados, a geração do "eu me acho".

E como, de forma mais direta, os pais podem fazer esse estrago na vida dos filhos? Quando eles buscam, a todo custo, algo comum à maioria dos pais hoje – o desejo de que seus filhos se deem bem na vida, sejam prósperos, ricos e, por que não, famosos. Então, eles juntam esse desejo à ideia equivocada de que para o filho alcançar esse resultado, seja fundamental estimular, de todo modo e a todo momento, a autoestima dos filhos. Acontece que essa receita tem se mostrado nefasta.

Quando os pais pensam que, ao evitar críticas e não solicitar limites e respeito, tornarão seus filhos mais capazes e sem traumas, conseguem exatamente o contrário. Os elogios exagerados e a total falta de críticas fazem as crianças e adolescentes acreditarem que sejam especiais, melhores que os outros, verdadeiros *X-men*, criando uma visão gloriosa e irreal de si mesmos.

X-Men é uma equipe de super-heróis de histórias em quadrinhos épicas da *Marvel Comics*, que virou série de filmes, lotando cinemas em todo mundo. Eles foram criados por Stan Lee e Jack Kirby.

Os X-Men são mutantes: humanos que, ao passarem por um repentino salto evolucionário, nasceram com habilidades super-humanas adormecidas, mas que terminam por se manifestar na adolescência – personagens muito parecidas com os adolescentes de hoje, ou com a idealização que os pais têm de seus filhos, fazendo-os acreditar nisso.

Porém, a realidade é bem diferente da ficção. Sem super poderes, mas achando que os têm, os adolescentes de hoje se expõem a situações com as quais não sabem lidar, pois não aprenderam, tornando-se perigosamente vulneráveis.

Isso fica mais evidente com os estudos de vários psicólogos que têm desconstruído a importância dada à alta autoestima exagerada. Entre eles, destacamos Roy Baumeister, professor de psicologia da Universidade Estadual da Flórida, e Mark Leary[7], Professor

---

7 Mark R. LEARY; Roy F. BAUMEISTER, F. *The Nature and Function of Self-Esteem: Sociometer Theory.* Advances in Experimental Social Psychology, Volume 32, Issue null, pages 1-62. Elsevir, Cambridge, MA, 2000.

de Psicologia e Neurociência e Diretor do Centro Interdisciplinar de Pesquisa Comportamental da Duke University, ambos dos Estados Unidos. Para eles, a importância que damos ao tema deve-se, em grande parte, à crença generalizada de que existe uma associação significativa entre alta autoestima, especialmente entre crianças e adolescentes, e resultados positivos na vida escolar e em demais áreas da vida, ajudando tanto o indivíduo quanto a sociedade como um todo.

Pensando nesses resultados, professores, pais, terapeutas e muitos outros profissionais têm procurado enfatizar a importância da elevação da autoestima de filhos e alunos. Eles acreditam que, com isso, terão resultados positivos na vida de filhos e alunos. Porém, os estudos mais recentes mostram que não é bem assim, muito pelo contrário.

É comum conhecermos jovens altamente populares e com autoestima exarcerbada, que não se tornam profissionais capazes e adultos equilibrados, e ao mesmo tempo vemos constantemente crianças tímidas e retraídas, com autoestima baixa, vítimas de *bullying*, mas que se tornaram profissionais brilhantes e adultos realizados.

Há ainda o problema da autoestima elevada fazer parte de uma categoria bastante heterogênea, abrangendo pessoas que realmente possuem e realçam suas boas qualidades, misturadas a indivíduos narcisistas, presunçosos e amorais, em alguns casos.

Nos estudos que correlacionam autoestima e bom desempenho escolar, descobriu-se que o sucesso nas atividades escolares pode aumentar a autoestima, não o inverso.

Outra conclusão de Roy Baumeister e Mark Leary chama atenção, confirmando o que disse Paracelso[8], médico suíço: "A diferença entre um remédio e um veneno está só na dosagem". Complementando esse pensamento Baumeister nos diz que o elogio mal utilizado tende fortemente a ter efeito negativo, e sobre isso ele afirma: "Quando os elogios aos estudantes são gratuitos, tiram o estímulo para que os alunos trabalhem duro."

Quando você diz ao seu filho que ele tirou uma nota boa porque é especial, cria nele a falsa sensação de que é um gênio, e isso faz com que ele ache que não precisa se esforçar. Mas, quando você afirma que ele tirou uma nota boa porque diminuiu o tempo destinado às séries de TV, reduziu o uso do *smartphone* e o acesso ao *WhatsApp* e às redes sociais, ou ouviu menos músicas no *Spotify*, você o faz entender que o sucesso não é fruto da genética ou de algum atributo pessoal, mas do trabalho árduo e da conquista pessoal, coisas que um narcisista não conhece e não acredita.

---

8 Paracelso é o pseudônimo do médico e alquimista Suiço Phillipus Aureolus Therophrastus Bombastus von Hohenheim, (1493--1541).

Essa falta quase que total de empatia cria um contingente enorme de jovens que querem atenção, mas não sabem dar atenção, que querem amor, mas não sabem amar, que querem ser ouvidos, mas não sabem sequer calar para ouvir. Por isso, quando são contrariados ou não se interessam por quem está perto, sacam logo o *smartphone* do bolso e fogem para a superficial e pouco gratificante relação virtual com outros jovens tão carentes, perdidos e ansiosos quanto eles.

Assim, vale uma das dicas dada pelo professor David McCulloug Jr. no discurso de formatura do 3º ano da Wellesley High School, ao qual nos referimos anteriormente. Nas palavras dele: "A grande e curiosa verdade da experiência humana é que o altruísmo é a melhor coisa que você pode fazer por si mesmo." Ele estava parafraseando Santo Agostinho, quando disse que "Se o homem soubesse as vantagens de ser bom, seria homem de bem por egoísmo."

Quando criamos uma filha ou um filho para ser melhor que todos, nós o preparamos para a decepção, para a derrota e para a infelicidade, mesmo que nosso objetivo não tenha sido esse. E eu acredito firmemente que a maioria esmagadora dos pais faz tudo para acertar na educação dos filhos, mas constato tristemente que muitos têm falhado fragorosamente.

5.
Seus filhos fariam isso por você?

Uma situação que merece toda atenção quando discutimos modelos e valores da família é a relação com nossos pais e avós na fase da velhice. Embora devamos vivenciar e demonstrar nosso amor e cuidado em todas as oportunidades, é nessa fase que eles mais precisam receber de volta todos os cuidados e amor que recebemos deles durante nossa vida.

Quando as pessoas envelhecem (e é bom lembrar, um dia seremos nós), eles mudam de várias maneiras, tanto biológica quanto psicologicamente. Algumas dessas alterações podem ser para melhor e outras não. Algumas habilidades cognitivas, tais como o vocabulário, são resistentes ao envelhecimento do cérebro e pode, até mesmo, melhorar com a idade. Outras habilidades, como o raciocínio conceitual, memória e velocidade de processamento, diminuem gradualmente ao longo do tempo.

E é justamente nesse momento que muitos de nós perdemos a paciência, e até mesmo nos irritamos com histórias e perguntas repetidas e quando menos esperamos estamos sendo secos, agressivos e, por vezes, estúpidos com pessoas que amamos. Entretanto, logo depois desse rompante de impaciência, somos tomados por um sentimento de culpa imenso.

Quando o processo de envelhecimento é agravado por uma doença como o Alzheimer, observamos o desencadear de um processo lento e progressivo, no qual a pessoa que amamos vai "deixando de existir" e vai dando lugar a alguém que um dia não lembrará nem mais quem você é, e isso é doloroso.

Eu passei por essa experiência rica, dolorosa e muitas vezes cômica com meu avô materno.

Em alguns momentos, fiquei extremamente decepcionado comigo, pelas muitas vezes que perdi a paciência com ele. Mas, também tenho consciência do quanto o meu amor por ele me permitiu cuidar dele e tentar devolver, ao menos um pouco, do amor que ele me dedicou.

Meu avô, Manoel Irineu, é uma das figuras centrais de minha existência. Ele impactou minha vida de tal maneira que muitos dos aspectos legais de minha personalidade têm ele por base.

Meu avô era tão querido na vizinhança que outras crianças o chamavam de vovô. Quando meus pais se separaram eu tinha seis anos. Era o ano de 1977 e as crianças da rua recusavam-se a brincar comigo, pois ser filho de pais divorciados era como ter uma doença contagiosa. Mas, meu avô entrava na minha defesa.

Eu morei com ele dos seis aos doze anos e ele assumiu o papel de meu pai. Como era muito querido na rua onde morava, emprestou seu respeito a mim, e tive uma avó que recitava poemas, especialmente os de Khalil Gibran, poeta libanês. Ele me ensinou a tocar violão, jogava dominó e baralho comigo, enfim, cobriu a falta vinda da separação, com um amor imenso.

Quando ele começou a apresentar os primeiros sintomas de Alzheimer, minha mãe, concomitantemente, recebeu diagnóstico de lúpus e fibrose pulmonar, o que implicava muitas limitações. Ela usava respirador artificial e tomava mais de 30 comprimidos diariamente, além de uma série de comorbidades que acompanharam sua doença. Como ela não podia cuidar do pai, e ele havia me criado como filho, senti-me responsável para assumir os cuidados dele.

No período em que cuidei de meu avô aconteceram episódios engraçadíssimos.

Uma vez, como costumava fazer mensalmente, acompanhei-o ao banco para receber uma aposentadoria "riquíssima" de dois salários mínimos. Só de cuidadores nós tínhamos uma despesa em torno de quatro salários mínimos mensais.

Mas, para ele representava muito ir ao banco. Ele foi o segundo cliente da agência, e era um sinal de dignidade pessoal que preservei o máximo que pude, afinal, chegou um tempo em que ele não conseguia assinar documentos, lembrar quem era ou mesmo andar.

Certa feita, no meio do silêncio do banco, o meu avô falou bem alto:

– Meu neto!

Aí todo mundo olhou assustado...

– Diga, vô – respondi surpreso com o romper abrupto do silêncio.

– Não me roube não!

O constrangimento foi terrível. Todas as pessoas da fila olharam para mim com indignação, até os caixas pararam e levantaram a cabeça para ver quem era aquela criatura capaz de roubar o próprio avô. Eu me senti aquela pessoa que pega o vovôzinho, vai para fila do INSS, recebe a grana, vai fumar maconha e deixa o avô passando fome! Se tivesse um buraco acho que até hoje eu estaria com a cabeça enfiada lá. Imagine como foi esperar toda a fila com aqueles buchichos e olhares de recriminação! Via a hora de alguém ligar para o conselho do idoso e eu sair preso.

Fiquei furioso pensando: "Como é que meu avô faz isso comigo!", então lembrei que, fazia algum tempo, em muitos momentos, ele não seria mais o avô que conheci. Para mim, foi difícil ver seu olhar, lentamente, se perdendo. Ver aquele homem forte e que esteve liderando a família durante toda vida, perdendo a capacidade de decidir as coisas mais simples.

> *Eu até entendo por que muitas pessoas que têm parentes com Alzheimer não vejam sentido em visitá-los, afinal pensam: qual será o proveito de visitar alguém que não sabe mais quem você é?*

Além do que evitam a dor dessa sensação de estranheza de olhar para alguém que se ama e que nem mais consegue sentir esse amor.

Mas, convivendo com meu avô, percebi que eu teria de desenvolver outras formas de manifestar o meu amor.

Embora alguém com Alzheimer não se lembre quem você é, nunca podemos esquecer o poder de um sorriso largo e acolhedor, de chamar pelo nome e falar sobre as coisas da vida, mesmo que aquela pessoa não acompanhe seu raciocínio.

Eu tive de lidar com os vários personagens que ele pensava que eu fosse, e não mais o seu neto. Assumi, para meu avô, muitos papéis. Às vezes, eu era o ladrão, outras vezes, ele achava que eu tinha um caso com minha vó. Eu tive de conviver com a realidade desses personagens criados por ele, silenciando, aceitando e compreendendo, mesmo que muitas vezes irritado ou magoado, porém sempre lembrando que ele não era assim, e que aqueles momentos não definiam o grande homem que ele foi e é para mim.

Já em outros momentos eu era um amigo de infância, um irmão. Cheguei mesmo a ser confundido com o pai do meu avô, meu bisavô, o qual nem conheci. Quando os personagens que ele projetava em mim eram bons, então, eu encontrava uma brecha para manifestar afeto. Quando ele achava que eu era seu irmão, eu dizia: "Meu irmão, como você está, e o violão, tem tocado?" Ou dizia: "Meu filho, que saudade." Claro, nem sempre eu tinha essa paciência, seria hipocrisia dizer que sempre agia assim, às vezes, encurtava o contato e saía de perto, dolorido.

É tão angustiante para qualquer pessoa ver o declínio provocado pela doença que nosso primeiro e instintivo movimento é querer trazer de volta a pessoa que amamos, até que desistimos de lutar contra o caráter inexorável da doença. É daí que passamos, mesmo com muita dificuldade, a aprender a gostar e deixar de negar aquela nova pessoa que está diante de nós.

Nesse tempo, descobrimos uma coisa óbvia, aquela pessoa que foi e que agora está ali diante de nós continua necessitando de toque, da presença, de ouvir a voz e de captar, em raros momentos, um olhar que insiste em dizer: eu te amo...

Sei que eu me delonguei nesse depoimento, mas acho que pode ajudar aquelas pessoas que passaram, passam ou passarão por essa experiência.

Mas, voltemos às fantásticas aventuras que tive com meu avô. Em outra ocasião, ele já com 92 anos, Alzheimer avançando, um sobrinho dele foi visitá-lo, desses parentes que você nunca ouviu falar que existia e que aparece de repente, dizendo ser seu primo de milésimo grau. Mas, tudo bem, a gente convida para entrar e oferece um café. Ele chegou e depois foi conversar com meu avô. Deixei os dois a sós, mas ouvi quando ele perguntou:

– Tio, o senhor "tá" sendo bem tratado aqui?

Meu avô olhou em volta para ver se tinha alguém, não me viu no escritório em frente à sala e olhando para ele, confidenciou:

– O povo aqui é tão ruim, eu sofro tanto, meu filho! Estou pagando todos os meus pecados! Olhe, "cê tê" uma ideia, eu durmo no relento, no meio do mato. Todo dia, nem uma mistura me dão (seria carne, que no Nordeste as pessoas da idade do meu avô chamavam de mistura), é uma papa sem gosto de nada e para completar, no final da tarde esse rapaz que lhe recebeu com cara de bonzinho, me dá um banho de mangueira!

E o cara veio "com dois quentes e um fervendo", claro, à minha procura. No lugar dele, eu também faria o mesmo.

Ele se levantou furioso gritando: – Rossandro, venha cá! Que história é essa que meu tio tá me contando? Tenha vergonha.

– Amigo, calma, meu avô está com Alzheimer. Eu ouvi o que ele disse e vou explicar. Vou te mostrar o que é dormir ao relento.

E passei a relatar os fatos reais. No quarto em que ele dormia tinha um jardim de inverno. Ele não era acostumado a dormir num quarto com jardim de inverno, logo, para ele estava no meio do mato!

Ele tinha prótese dentária, mas com o avanço do Alzheimer não conseguia mais mastigar, então, para que pudesse comer eu tinha de passar o almoço no liquidificador e dar como papinha para ele. Naturalmente não via a carne, por sua vez passei a mostrar antes de moer, mas ele não lembrava em razão da doença, então, não adiantava nada.

E no final do dia, quando chegava do consultório, eu pegava uma cadeira de plástico, colocava no box do banheiro, acomodava-o para banhá-lo com o chuveirinho da ducha, enquanto o segurava, tomando cuidado para nenhum de nós dois cair!

Foi quando meu primo de milésimo grau pediu-me desculpas. Mas, não para por aí, não.

Certo dia, outro sobrinho, residente em São Paulo, ligou irritado:

– Olha, você não me conhece não. Mas, seu avô foi como um pai para mim. E eu fiquei sabendo que meu tio está sendo maltratado, eu "tô" ligando para tomar satisfações de você, rapaz, tenha vergonha!

Respirei fundo e lembrei o que muitos dos meus pacientes me relatavam nas terapias. Quando alguém da família adoece, poucos tomam conta, muitos opinam, vários criticam, mas não fazem nada, mas esses dois últimos grupos são os que mais choram no dia do velório, com certeza por culpa. Então, eu respondi:

– Quem é você mesmo?

– Eu sou Fulano, seu primo terceiro, filho do finado Beltrano.

Eu pensei: "Primo terceiro! O que danado é isso na escala familiar. Primo terceiro é parente ainda. Meu Deus!"

– Ah! "Táá"... Você, que eu não sei quem é, ouviu falar de alguém, que certamente você não vai me dizer quem foi, que eu estou maltratando meu avô, que você nunca mais viu.

E ele disse bravo:

– É isso mesmo.

– Pois bem, você sabe quantos anos seu tio tem?

– Não...

– Tem 92 anos. E seu pai, quantos anos ele tem?

– Ah... Painho morreu...

– E foi? Com quantos anos seu pai morreu?

– Ah. Painho morreu com 70 anos.

– Sabe por que ele morreu com apenas 70 anos e seu tio já tem 92?

– Ele respondeu curioso: Não!

– Porque seu pai não era bem cuidado. Se ele fosse bem cuidado, chegaria aos 92, como meu avô. Eu acho estranho você ligar para casa de alguém que tem 92 anos e imaginar que ele esteja sendo maltratado, porque se fosse, teria morrido antes. Teria morrido com 70 anos, do mesmo jeito que seu pai!

Claro que ele desligou na minha cara.

Mas confesso, adorei dar essa resposta, ficou muita massa, foi um verdadeiro xeque-mate no primo de terceiro grau. Já estava de saco cheio de tanta gente opinar.

Muitos cuidados especiais foram necessários. Se você já cuidou de alguém idoso ou já viu alguém cuidar, sabe como é. Trocar fraldas, dar banho, usar óleo de girassol para não criar escaras no corpo, passar hidratante, pois a pele vai ficando fininha, igual a um papel.

Depois você compra um colchão de ar e uma almofada de água para pôr no cóccix. A pessoa vai "sumindo", esquecendo quem você é, não conseguindo mais se levantar. As mãos vão ficando fechadas a ponto da unha machucar e você ter de colocar algo para evitar que a mão feche.

Em seguida, a pessoa não consegue mais mastigar ou mesmo deglutir, e você se vê obrigado a colocar uma sonda nasogástrica para passar o alimento. Como essa sonda é muito incômoda, a pessoa tende a puxar, o que provoca ferimento, então, você tem de tomar uma decisão difícil e dolorosa: amarrar as mãos da pessoa que você ama, para que ela não se machuque. Você decide isso, sem ter a certeza de que foi o melhor a ser feito, mesmo sabendo que não havia escolha.

No dia dos pais do ano de 2009, acompanhei minha mãe, já bastante debilitada, ao quarto de meu avô, para desejar feliz dia dos pais. Àquela altura, com 94 anos, meu avô não abria os olhos e nem falava mais. Peguei o violão que ele me ensinou a tocar, com as marcas dos seus dedos, pois o violão é mais velho do que eu, e toquei para ele. Quatro meses depois seu quadro piorou muito e ele foi direto para UTI. No dia 01 de dezembro, o estado dele era muito grave. Era meu aniversário e minha mãe me disse:

– Meu filho, não fique triste se seu avô morrer hoje, no dia do seu aniversário. Então, eu respondi:

– Minha mãe, é claro que não vou ficar triste, mas conheço meu avô. Ele sempre foi um homem gentil. Acredito que ele não vai hoje. Apesar de um quadro terminal, na visão do médico, no qual apenas levaria algumas horas, meu avô só faleceu dia 05 de dezembro.

Contei todos esses episódios não por seu lado divertido ou doloroso, mas para percebermos que muitos filhos retribuem o mínimo do que recebem. Cuidam de pais e avós, tios e tias, que tomaram para si a tarefa de os educar, de mostrar o caminho correto. E o fazem sem medir esforços, por vezes com renúncias difíceis em suas próprias vidas.

A população mundial está envelhecendo em decorrência da diminuição da taxa de natalidade e do aumento da expectativa de vida. Alcançar 100 anos de idade ou mais, neste século, será algo corriqueiro. Muitos alcançam a terceira idade, inclusive, com vigor físico e mental, a maioria, no entanto, não.

E no momento em que se tornam frágeis e doentes, muitos são abandonados, relegados aos cantos menos importantes da casa, à solidão!

Lamentavelmente, ainda há, com exceções, grande descaso pelos mais velhos. É como se a pessoa se tornasse descartável, invisível, desimportante, um peso para os mais jovens. Ainda são tímidas as iniciativas da sociedade e das políticas públicas voltadas para esse segmento populacional.

E aqui proponho algumas reflexões, fazendo uma pergunta: Será que os seus filhos estão preparados e dispostos a cuidar de você no futuro? Eles farão por você o que você fez ou faz pelos seus pais? Você os tem educado de modo a desenvolverem valores, a tal ponto disso gerar sentimento de gratidão que possa expressar solicitude, carinho, quando você necessitar deles? Resumindo, seus filhos irão colocar fraldas em você? Irão te levar para tomar banho de sol? Você ficou em silêncio agora com essas perguntas?

Depois dessas perguntas que acabei de fazer, se você tem filhos pequenos pode estar pensando: "Ufa!! Dará tempo de corrigir então." Se tiver adolescentes pode estar um pouco mais angustiado pensando: "Nossa, agora é tarde. Eles nem me ajudam com dúvidas sobre o *smartphone*. Quando peço algo, quando fazem, é com raiva e com cara de tédio. Meu Deus, e agora?!"

Em relação a filhos há sempre o que ser feito. Há sempre espaço para recuperar o terreno perdido. Retomar o seu lugar é o que veremos a seguir.

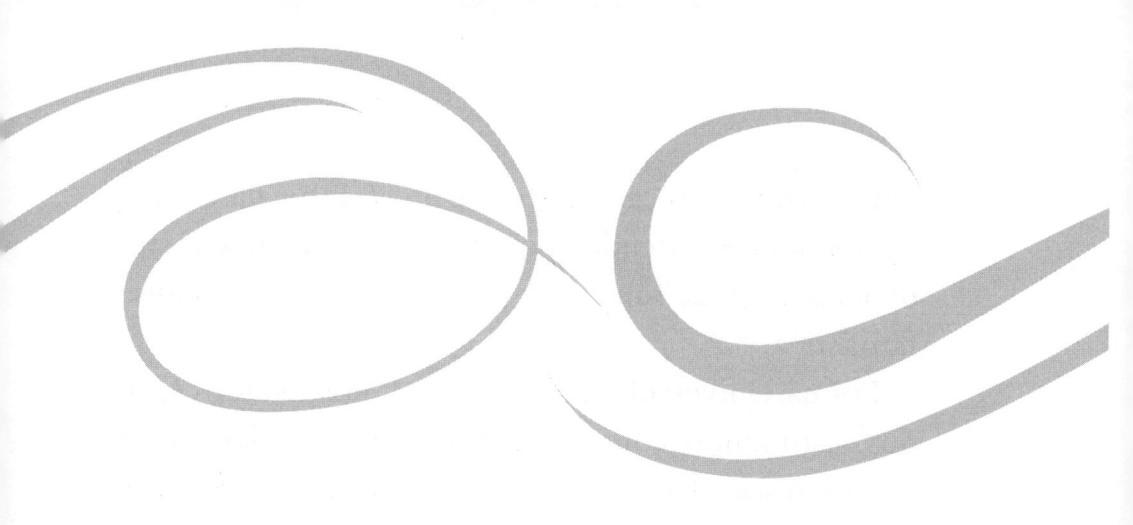

6.
Reintegração de posse afetiva: recuperando o filho 'perdido'

Por que muitos pais estão perdidos? Como recuperar a autoridade perdida ou construir uma autoridade que nunca foi conquistada? Por que muitas crianças se tornam pequenos déspostas ou adolescentes insuportáveis? A resposta e a solução para essas questões somente virão se você responder à pergunta a seguir: Quem tem a responsabilidade primária de tomar decisões importantes e imprimir valores à vida dos filhos: A) os pais; B) o governo; C) a escola ou D) a supernanny?

Não tenha pressa em marcar a opção correta, mas se você já marcou a letra A (temos esperança de que essa tenha sido a sua opção, porque se você marcou outra opção, seu caso é grave e aí, só Jesus na causa), vamos tentar entender por que não está funcionando e como pode funcionar por meio de uma pesquisa fantástica.

Foi na Universidade de Stanford, nos Estados Unidos, estudando comportamento humano dentro do contexto social, e não a partir de ratos de laboratório, que o psicólogo canadense Albert Bandura percebeu a impactante importância dos processos cognitivos do indivíduo na relação com o meio no qual está inserido. Ele conferiu novo status de importância ao nosso mundo íntimo ao demonstrar como ele interage com o meio em que nos encontramos, influenciando e sendo influenciado por ele.

Ao fazer isso, o professor Bandura comprovou que, ao contrário do que se pensava até então, não existe influência completa do meio sobre nós, pois não somos um ser passivo. Na verdade, desde bebês cada ação que observamos passa pelo nosso crivo interno, de modo que podemos ou não imitar. Mas, claro, se as pessoas ao nosso redor são importantes, a possibilidade de reproduzir esse comportamento aumenta.

Suas pesquisas iniciais debruçaram-se sobre um problema que nos aflige até hoje: como as crianças expostas a situações de agressividade reagirão a esse contexto?

Como resultados desses estudos, Bandura desenvolveu a chamada Teoria Social Cognitiva, na qual comprovou que as crianças agressivas estão tão somente apresentando um comportamento que aprenderam por observação e posterior imitação. Essa descoberta termina por dar relevância aos modelos, pessoas do convívio dessas crianças, quando elas evocam o que e a quem imitar, o que ele convencionou chamar de modelagem.

Os indivíduos observados pelas crianças são chamados pelo professor Bandura de modelos. Toda criança, como sabemos, é cercada de diversos modelos que a influenciam diuturnamente como os pais e demais parentes, os amigos que fazem parte de seus grupos de pertencimento (escola, condomínio, igreja), os professores, os personagens na TV e, ultimamente, os *YouTubers*.

Se você não sabe quem são esses últimos, cabe uma rápida explicação. *YouTubers* são um tipo de celebridade da *Internet*, que ganharam popularidade com seus vídeos no site de compartilhamento de vídeos *YouTube*. Alguns deles são mais vistos que séries de TV e possuem milhões, isso mesmo, milhões de seguidores.

No Brasil, temos *YouTubers* que estão entre os mais seguidos do mundo. Por isso, devemos incluí-los como fonte de influência considerável na vida de crianças e adolescentes. E por que digo isso? Longe de serem apenas criadores de vídeos engraçados e lúdicos, eles usam a *internet* para expor sua visão de mundo, comentar acontecimentos, mostrar seu cotidiano, que roupa vestem, de tal modo que alguns, acidentalmente, tornam-se celebridades da *internet*, recebem patrocínio e passam a ser referência, sobretudo, para crianças e adolescentes que, cada vez mais, seguem os *YouTubers* e os têm tais quais ídolos.

Feita essa explicação, voltemos à discussão sobre o impacto dos modelos na vida da criança.

Todos os modelos que a criança observa oferecem um repertório de comportamentos que servem de exemplos para ela posteriormente imitar. Mas, a criança não fica na simples imitação. O professor Bandura revela-nos que as pessoas aprendem umas com as outras de tal modo que as atitudes que temos é o resultado dessa observação, já que o comportamento dos outros nos servem de guias para ação futura, que copiamos, até o ponto de serem internalizadas.

Bandura acreditava no "determinismo recíproco", isto é, o mundo e o comportamento de uma pessoa se causam um ao outro. Por isso mesmo, à medida que a criança imita o comportamento de alguém, especialmente o dos pais, as pessoas ao redor da criança vão reagir e responder a esse comportamento reforçando ou punindo.

Por exemplo, se o que a criança está imitando é gratificante para os pais, eles irão reforçar esse comportamento nos filhos de tal modo que é provável que a criança continue a executar o comportamento. Se um pai, ao ver seu filho ajudando um amiguinho nas tarefas escolares, disser: "Nossa, filhão, como você é prestativo, estou orgulhoso", isso certamente será muito gratificante para a criança, e é bem provável que ela repita o comportamento. O que aconteceu nesse exemplo, o comportamento do filho foi reforçado.

Mas, ele pode ou não voltar a ter esse comportamento, pois existe o reforço externo, mas também o reforço interno. Como ambos interagem e funcionam? Se uma criança deseja a aprovação dos pais, professores ou amigos, essa aprovação será um reforço externo, mas se a criança irá se sentir satisfeita com tal aprovação será um reforço interno, ou seja, ela acata o reforço externo e internaliza e reproduz o comportamento. Uma criança vai se comportar de uma maneira que acredita que vai ganhar aprovação, porque ela deseja aprovação.

Tanto o reforço externo quanto o interno podem ser positivos ou negativos. Mas, uma regra é bem clara:

> ***Os reforços externos, sejam eles positivos ou negativos, terão pouco ou nenhum impacto na vida e nas escolhas da criança, caso esse reforço oferecido não corresponda às necessidades íntimas do indivíduo.***

Queremos destacar essa informação, pois muitos pais desejam que seus filhos sejam como eles, ou que realizem o que eles não realizaram, projetando seus sonhos, o que em muitos casos pode acabar frustrando ou traumatizando os filhos.

Seja esse reforço positivo ou negativo, ele só terá relevância se levar a uma mudança no comportamento de uma pessoa. Mas, como as crianças são mais inteligentes do que pensamos, elas podem aprender com os erros dos outros e decidir, a partir daí, se vão ou não copiar o comportamento de alguém.

Essa decisão passa pela observação que a criança faz das consequências advindas do comportamento dos outros. Pode ser um irmão, um amiguinho da escola. É o que se chama de reforço vicário, ou seja, aprender com o erro ou acerto dos outros.

Um exemplo, se a criança viu o colega sendo repreendido pela professora por algo que fez, ao observar a cena pode evitar o comportamento para não passar pelo que o colega passou, ou o contrário, se um colega de classe é recompensado pela professora por um comportamento que ela considera adequado, é bem possível que a criança repita esse comportamento, para ter a mesma recompensa.

É bom relembrar que as crianças se identificarão com pessoas que elas considerem importantes (positiva ou negativamente) em suas vidas. E como elas terão, ao longo da vida, uma série de modelos com os quais se identificarão, é importante reconhecer quem são essas pessoas, para saber o grau de influência que elas estão exercendo sobre seu filho.

A regra geral para que a criança se identifique com um dado modelo é que ele possua qualidades que essa criança gostaria de possuir. Essa identificação pode ocorrer tanto com pessoas reais da vida da criança, quanto pais e irmãos que convivem com ela, mas também com os fantasiosos personagens de séries, ou as celebridades, que também não deixam de ser, em grande medida, um personagem.

E por que é importante observar com quem as crianças se identificam? Porque essa ou essas pessoas ou personagens funcionarão feito modelos, levando a criança a adotar os comportamentos, os valores e crenças, bem como as demais atitudes que a criança observa e com as quais se identifica. Lembrando que a identificação é diferente da imitação, pois enquanto a imitação geralmente envolve copiar um único comportamento, a identificação faz com que a criança adote uma série de comportamentos que ela observa nos outros.

A teoria da aprendizagem social é comprovada diariamente, pois vemos o tempo todo crianças aprendendo por imitação e posterior identificação.

Você já deve ter visto vários vídeos de crianças imitando o comportamento de adultos. Um dos mais divertidos é o de uma criança imitando o comportamento da cantora americana Beyoncé (digite esse link http://youtu.be/kU9MuM4lP18 ou a frase *Baby Dancing to Beyonce – Single Ladies*, para ver o vídeo, vale a pena).

Esse vídeo extremamente divertido só evidencia que, desde a mais tenra infância, nós imitamos as ações dos outros, daí a importância que os modelos têm em nossas vidas. Agora, pense comigo! Se seu filho imita um vídeo do *YouTube*, imagine o quanto ele imita você?

Para que ocorra essa imitação, e posterior interiorização do comportamento, a criança precisa, sobretudo, respeitar e admirar aquele ou aquela a quem ela observa. E se isso é uma regra para todos os modelos, ela é ainda mais forte no caso dos pais, ou seja, respeitar e admirar os pais é uma condição, sem a qual a criança não irá internalizar os valores da família em seu comportamento.

Mas, temos um aparente paradoxo aqui. Eu conheço e você também deve conhecer pais que são pessoas com muitos valores nobres, mas que os filhos não usam como referência, e sabe por quê? Porque eles não se fazem respeitar pelos filhos, tema já discutido em capítulo anterior.

Mas, será que é tarde? E se você tiver em casa adolescentes que não te respeitam, porque você não os ensinou assim, e por isso esteja encontrando dificuldades em educá-los?

Primeiramente, é bom dizer que tal dificuldade se deve ao fato de que muitos pais não ocupam seu devido lugar na ordem familiar.

Ao nivelar por baixo, muitos pais confundem o fato de terem uma relação mais amistosa com os filhos do que a que tiveram com os próprios pais, e tornam-se "amiguinhos" dos filhos, perdendo o poder e o dever de traçar regras e limites. É preciso entender que é possível se aproximar e ter mais intimidade no relacionamento com os filhos, sem necessariamente perder a autoridade.

Não resta dúvida, e isso já foi dito em capítulos anteriores, que uma relação de cumplicidade com os filhos é uma conquista da nova família, que deve ser preservada, mas como tudo na vida, necessita de equilíbrio, pois sem ele a autoridade se perde.

Pais que são permissivos demais com as crianças tendem a pagar um alto preço, uma vez que ao perderem autoridade criam uma espécie de vácuo de poder, obrigando as crianças a assumirem o controle, papel que deve sempre pertencer aos responsáveis.

Esse vácuo pode criar um perigoso fosso intergeracional, comprometendo o papel dos pais que, como adultos, devem agir com mais maturidade e equilíbrio das emoções, pautando assim o relacionamento familiar com respeito, não com baixaria, como temos visto ultimamente.

Muitos pais, ao abrir mão do seu lugar de autoridade na família, nivelam a discussão com os filhos perigosamente, e ganha quem grita mais, e no final todos estão surdos e saem perdendo.

Como resultado disso, temos a geração do "eu me acho", anteriormente abordada, caracterizada por adolescentes onipotentes e arrogantes que querem ver todos os seus desejos e caprichos satisfeitos pelos pais, que por completa omissão terminam na condição de serviçais dos próprios filhos. E quando não atendem aos desejos dos aprendizes de ditadores(as), são vítimas de agressão verbal e, em alguns casos, agressão física, o que é profundamente lamentável.

Esses jovens conhecem e exigem todos os seus direitos, mas se esquecem ou não foram ensinados acerca de suas responsabilidades e da necessidade do respeito. É preciso recuperá-los.

É óbvio que a geração atual não vai ser tão submissa como nós fomos. Eles querem empoderamento, espaço, voz e vez.

Eles parecem ser mais inteligentes, são mais capazes. Nós somos mais ou menos um 386 com DOS, eles um Apple. Mas, continuam sendo filhos e precisam de comando, orientação e ordem, mesmo que tenham espaços que nós não tivemos.

Muitos pais proporcionam aos seus filhos aquilo que a gente nem pensou ter. Facilitam tanto a vida que, na intenção de acertarem, acabam errando, pois, pensam que os filhos não devam passar por nenhuma das dificuldades que passaram, mas se esquecem de que boa parte dessas dificuldades foram as responsáveis por eles vencerem na vida.

O que vem fácil e sem luta não tem valor.

É uma regra da vida. Vejamos um exemplo bem claro. Nos anos 80, quando eu ia gravar uma música que era sucesso na época, eu passava a tarde toda na frente do rádio, na FM, com um gravador e os dedos nos botões *REC* e *PLAY*, quase tendo uma LER (Lesão por Esforço Repetitivo), pois ainda não havia sido lançado aparelho de som Três em Um (eu ainda tenho um desses, é retrô hoje, ou vintage como preferem alguns, resumindo, coisa velha).

Quando a música finalmente começava a tocar, o coração acelerava, não de emoção, mas de tensão, pois havia um esforço descomunal para cronometrar e começar a gravar desde os primeiros acordes, pois mostrar para os amigos a música incompleta não dava. Depois de conseguir essa verdadeira proeza de precisão, só restava rezar, mas rezar muito, para que o miserável do locutor não dissesse o nome da FM no meio da música, o que em 80% das vezes, para meu desespero, ele fazia.

Atualmente, você tem milhares de músicas dentro do seu *smartphone*, no *Spotify* ou na *Apple Music*, e muitas vezes nem escuta, porque aquilo que vem fácil não tem tanto valor.

Vou contar uma história que aconteceu comigo e que ilustra bem isso.

Era um fim de semana de verão e eu estava em João Pessoa, capital do meu Estado de praias belíssimas. Minha cidade, Campina Grande, fica a cerca de 120 km da capital e comumente existem algumas praias preferidas dos campinenses lá. Digo até que são as praias do *oi!* Isso porque você viaja e termina por encontrar todo mundo da cidade nessas praias, e quando vai fazer aquela caminhada fica o tempo todo: oi fulano, oi beltrano...

Estava numa rede preguiçosa, ouvindo o barulho das ondas indo e vindo quando um amigo me convidou para acompanhá-lo até o Aeroporto de Recife, em Pernambuco. Os três filhos estavam voltando de uma viagem de quinze dias na Disney. Uma pequena ressalva aqui. Na verdade, nem eram três filhos e nem todos eram meninos, mas estou trocando vários dados sobre ele, o que ele fazia e os filhos, para preservar a identidade desse amigo. O resto da história é a mais pura verdade.

Bem, o convite eu considerei indecoroso, pois seria trocar a paisagem paradisíaca e deslumbrante do litoral paraibano, numa rede convidativa, por um dia quente e trânsito infernal de sábado até o aeroporto, não fazia o menor sentido para mim.

De João Pessoa até Recife são cerca de cinquenta minutos, mas daí a entrar na cidade e chegar ao aeroporto pode levar mais ou menos duas horas. Então, eu disse:

– Amigo, perdoe-me, mas não saio dessa rede nem me pagando. Foi quando ele insistiu.

– Vamos. Vai ser tão lindo a alegria deles chegando, a felicidade de rever o pai e a gratidão que terão por eu ter realizado esse sonho deles.

Quando ele disse isso, eu me arrepiei todinho. Conhecia bem a educação que ele dava aos filhos. Três adolescentes com pai rico, sem limites, que tinham tudo o que queriam. Sempre com aquela cara de tédio no ar. Imaginei a decepção que ele passaria e resolvi ir com ele por caridade, para oferecer meu apoio, pois ele se decepcionaria muito. Fui como uma espécie de *personal* psicólogo, porque certamente ele iria precisar. Mas, não disse isso a ele, óbvio.

– Então tá, deixa eu trocar de roupa.

Durante a viagem ele parecia uma criança, prevendo o reencontro cheio de fantasia.

– Eu tô só imaginando a cara de felicidade deles...

E pensando comigo mesmo espantado: "Coitado. Ele ainda não sabe os filhos que tem."

Meu Deus, como somos capazes de nos cegar, de negar até o fim o que não está dando certo.

Eram aproximadamente 11h30min quando o avião pousou. Depois de mais de quarenta minutos, comum da chegada de um voo internacional: inspeção da polícia federal, últimas compras no *Dutyfree*, saem aqueles três adolescentes com os cabelos assanhados, cara de tédio, o mais novo com um Mickey no pescoço e cada um com duas malas de 32 kg, cheias de roupas de *outlets* e de todas aquelas coisas clássicas de quem vai pela primeira vez a Orlando.

— E aí, meus filhos, como foi lá? Conta pro papai? Isso num tom efusivo e entusiasmado e falando como nenhum adolescente gosta, como se eles ainda fossem crianças.

Após alguns segundos de silêncio, um deles, o mais velho, disse:

— Oh, pai, tu já sabe como é, já teve lá, foi normal.

— Como assim normal? Vocês foram para os parques? Viram o castelo de Harry Potter? E o *Cirque du Soleil*, viram também? A baleia do *Seaworld*?

Parecia que quem tinha acabado de chegar era ele, de tão entusiasmado que estava. E eu o entendo. A primeira vez que fui à Disney já estava casado, não era mais adolescente, mas estava realizando um sonho de criança. Fomos com um casal de amigos queridos. Ele tinha morado nos Estados Unidos na adolescência, enquanto eu passei a adolescência sonhando em fazer curso de inglês. Mas, foi muito legal.

Quando entramos na avenida principal do *Magic Kingdom* e minha esposa viu o castelo da Cinderela, começou a chorar junto com a esposa de meu amigo. Eu a abracei e disse: "Meu amor, esse choro está há alguns anos atrasado". Ela sorriu e respondeu: "mas eu não estou realizando o sonho agora? Então, essa é a hora de chorar de alegria".

A felicidade dela, a cada passo que dávamos no parque, a fila que enfrentamos para tirar uma foto com o Pateta; a emoção que ela sentiu ao ver Sininho descendo luminosa, como se flutuasse ante a queima de fogos sobre o castelo no fim da noite, encantou-me mais que o parque em si. A gratidão da minha esposa por estarmos ali era fruto do valor que sabíamos dar a todo o esforço feito até chegar aquele dia. Coisa que o meu amigo tinha, mas não ensinou os filhos dele a ter.

E, então, sem ter nenhum *feedback* dos filhos com detalhes da viagem, resolveu perguntar:

– Trouxeram o que pra mim?

Eles olharam um para o outro, como quem procura "ajuda dos universitários", e depois um deles disse meio constrangido:

– Era para trazer alguma coisa pro senhor?

Para completar a tragédia que eu estava assistindo, meu amigo disse aos filhos já com uma voz sem aquela alegria inicial.

– Hoje é meu aniversário...

Nenhum deles lembrava. Bom, dá para perceber a importância que o pai tinha para eles.

Gente, eu morri naquela hora. Sabe quando você tem vergonha da vergonha que o outro está passando? Eu pensei: "Meu Deus, o que é que eu estou fazendo aqui? Tão feliz que estava na rede, olhando para o mar."

Então, estabeleceu-se um silêncio constrangedor. Entramos todos no carro calados e começamos a voltar para João Pessoa. Eu não olhava para meu amigo nem ele para mim. Passou-se cerca de meia hora quando um deles perguntou:

– Pai, a reforma do apartamento já terminou?

– Não! Ele respondeu lacônico.

– E o senhor alugou uma casa de praia onde?

– Na praia de Cabo Branco.

Como não era onde eles queriam ficar, eles gostavam da praia de Camboinha, o mais velho saiu com uma pérola.

– Mas você é muito sacana mesmo! Como é que apronta uma dessas com a gente! Depois de uma viagem cansativa dessas (pensei que eles estivessem trabalhando numa mina de carvão e não na Disney), a gente chega pra descansar e encontrar nossos amigos.

Todos eles estão em Camboinha, e tu bota a gente em Cabo Branco, uma praia que só tem velho, seus amigos. É muita sacanagem sua!

Eu não acreditei no que estava se passando. Esperei que depois disso alguma reação mais enérgica viesse da parte dele. A única coisa que ele fez foi aquele discurso clássico do: "Eu não tive nada disso". Ele começou:

– Eu passei necessidade, vocês não sabem o que eu passei... Eu não tive nada disso: veraneio, viagem para a Disney e roupinha de marca.

Antes que continuasse a narrativa já bem conhecida dos filhos, um disse em tom de deboche:

– Começou o discurso, a saga do sertanejo sofrido que passou necessidade!

Aí ele continuou:

– E passei mesmo, muita.

Foi quando um disse uma frase que coroou toda aquela cena surreal e absurda:

– Eu não tenho culpa se seu pai era pobre!

Eu já me encontrava em ponto de explodir, diante de tamanho absurdo, mas estava me contendo. Aí meu amigo fez uma pergunta que eu não gosto muito:

– Rossandro, o que você acha de tudo isso?

Quando alguém me pergunta, eu me sinto meio na obrigação de dizer o que penso, de não me omitir. Mas, nem sempre é bom ouvir a verdade. Mas, àquela altura eu chutei o pau da barraca, a situação já estava para lá do desrespeito. Então, eu disse:

– Tu quer que eu te diga de verdade mesmo?

– Por favor! – falou ele em tom de desespero.

E, em seguida, ele disse a frase clássica, ouvida por professores em escolas de todo o país, e que os deixa em estado de desalento:

– Eu não sei mais o que eu faço com estes meninos.

Então, eu perguntei:

– Se você tivesse feito com os seus pais 5% do que seus filhos fizeram com você nesses últimos 30 minutos, o que teria acontecido com você?

Ele disse:

– Se brincasse, eu estaria sem o queixo há muito tempo.

– Você odeia seus pais?

– De modo algum. Amo os dois profundamente, mesmo já falecidos, não seria nada sem eles.

– Sabe por que você os ama? Porque eles foram seus pais. E você é um moleque, amiguinho dos seus filhos. Você abriu mão do seu papel de pai, condição dada por Deus, achando que sendo amiguinho dos seus filhos funcionaria. Meu amigo, a coisa mais estúpida que um pai ou uma mãe pode fazer é abrir mão da posição única e exclusiva de pai e mãe, para ter a posição comum e vulgar de um amiguinho qualquer. É infantil. Você perdeu o seu lugar, sua função e por isso mesmo o respeito.

Aí, ele me olhou fixamente, como quem via um filme passando na cabeça das várias cenas de omissão dele e de desrespeito dos filhos. Fechou a mão e inesperadamente deu um soco no painel do carro e disse gritando:

– Pois, agora nem Camboinha, nem Cabo Branco, vamos voltar para Campina. Não vai ter veraneio e as malas estão confiscadas. Se não tem nada para mim, então não tem nada para ninguém!

O mais velho quis esboçar uma reação de indignação, subiu o queixo, inflou o peito e quis começar alguma frase:

– Ei, você não é doido, não!

– E cala a boca! Não quero ouvir um piu daqui para João Pessoa. Tão ouvindo?

Eles se entreolharam assustados, surpresos e calaram.

Eu por dentro de mim estava comemorando. Intimamente fiz: Uhuuuuu!!! Finalmente. Ele hoje começou a ser pai, começou a recuperar a autoridade. Eu chamo isso de reintegração de posse afetiva. Você perdeu seu terreno no lar e está recuperando o terreno perdido.

Ele passou três meses com as malinhas fechadas. A partir dali ele começou um processo de reconquista do espaço perdido.

Conversei outras vezes com ele, para o convencer de que ele não tinha culpa porque trabalhava. Porque o que conta na educação não é a quantidade de tempo que você passa com seu filho, mas a qualidade do tempo que você passa com ele. Que ele não tinha de comprar os filhos com presentes, mas com presença. Tinha que ter muito carinho, afeto, diálogo, compreensão, mas também autoridade e respeito.

O gesto de meu amigo de bater no painel do carro foi, para ele, apenas um símbolo do despertar de consciência. Ele não se tornou violento, até porque isso não funciona, e pode até criar um ambiente ainda pior, em que, além do desrespeito entre pais e filhos, pode se chegar a lamentáveis cenas de agressão verbal e física.

Eu conheço gente que passa vinte dias viajando, mas a todo momento está falando com o filho, com a filha. Está passando *WhatsApp*, perguntando o que está fazendo, com quem está, como é que foi o dia na escola...

Há pai e mãe que estão dentro de casa, mas são omissos, porque são egoístas, só pensam em si. Veem a novela ou o jornal que adoram, mas não permitem interrupção para ouvir os filhos em suas queixas, ignorando-os. Nem um dia sequer sentam com os filhos para ajudar nos estudos, deixando-os sozinhos, como se eles fossem acontecer sozinhos, sem a necessidade de bons exemplos e atitudes.

Existe um provérbio popular muito comum, que diz que "o exemplo é a melhor forma de educar". É uma grandessíssima piada, todo mundo que é educador sabe, o exemplo nunca foi e nunca será a melhor forma de educar... Calma, não fique preocupado, vou me explicar, pois como dizia Gandhi "o exemplo não é a melhor forma de educar, é a única!"

Deus deu o lugar de pai, não podemos abrir mão desse lugar nem terceirizar para ninguém essa função. E o mais impressionante é ver o quanto essa omissão sai cara.

Vemos comumente pais que não cumprem seu papel sofrerem consequências amargas.

Os pais que deixam os filhos serem o rei da casa pagam um alto preço.

Como se fosse um processo natural de revanche por parte dos filhos, pelo fato dos pais não cumprirem com o seu papel de educá-los e oferecer limites, terminam por abandoná-los na velhice, quando não é pior, pois, alguns continuam a manter os pais em casa, fazendo-os de empregados, humilhando-os e sugando os recursos da aposentadoria.

É como se os filhos tivessem sidos abortados afetivamente pelo descompromisso, pela preguiça e pela ignorância, desculpe-me a força das palavras.

Ninguém terceiriza a educação dos filhos. As escolas estão em desespero, porque recebem déspotas. Crianças que gritam e humilham professores. E quando os professores relatam o que aconteceu na esperança de ter o apoio dos pais, esses dão razão aos filhos e humilham ainda mais os professores.

Dizemos muito em palestra para educador. O que pode consolar um professor que, após ter tentado educar um filho que os pais não educaram, e no lugar de receber um elogio ou agradecimento, é humilhado? É pensar: "Ainda bem que esse filho é dele, e não meu". Mas, como estamos na mesma sociedade, não adianta eu educar meu filho se o vizinho não fizer o mesmo.

Precisamos ser modelos dignos a ser internalizados de forma positiva pelos filhos. Precisamos cumprir nosso papel de pais.

Se você está lendo esse capítulo e está pensando: "Xiii, ferrou, lá em casa já foi. Está tudo perdido!", não desista.

Eu te proponho uma coisa, faça o que chamo de "reintegração de posse afetiva". Vai ser fácil? De jeito nenhum. Vai ter guerra, e como vai! Mas, é melhor que seja travada entre pessoas que se amam, porque um dia o mundo vai "ensinar" seu filho ou filha, mas não o fará amadurecer por amor ou com objetivo didático. Ao contrário, muitas vezes a vida ensina com violência e isso poderá destruí-lo.

Tudo o que um pai e uma mãe não vão querer ouvir, caso desperdicem o talento que são os filhos, é a frase "servo infiel". Acredite, esta será a última coisa que você vai querer escutar.

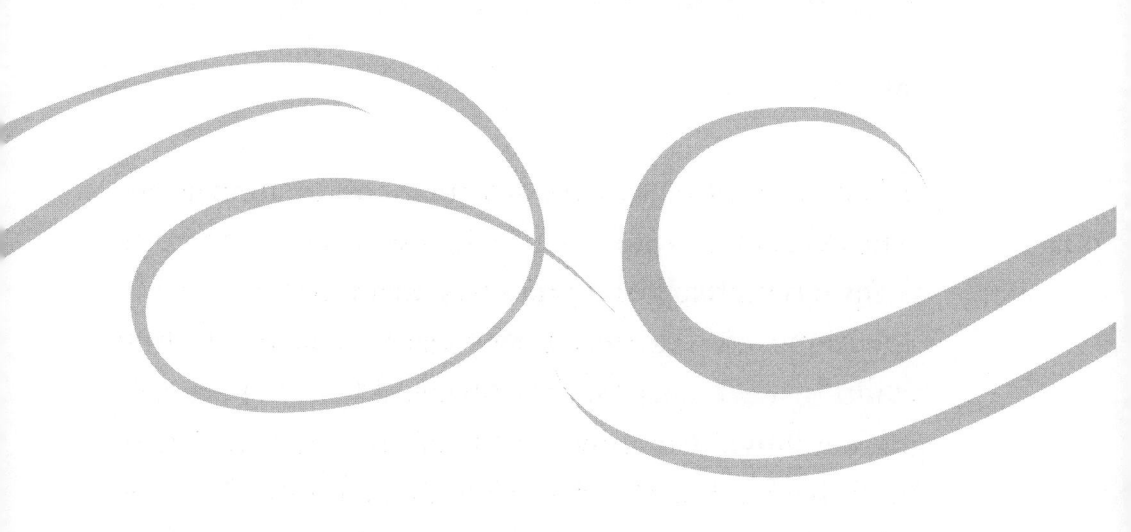

7.
Educação é repetição, repetição e repetição: aceita que dói menos

Uma das coisas que mais me irritava era o quanto minha mãe repetia as coisas. Me dava nos nervos! Uma série de regras ditas todos os dias, a cada gesto, a cada instante. Tinha hora que dava vontade de sair correndo, louco.

Dá para dividir essas frases em séries. Muitas delas você já deve também ter ouvido. Claro que minha mãe não me disse todas as que virão a seguir. Mas, como são frases clássicas que eram ditas pelas mães, muitas delas também eram ditas pelos pais. Elas estarão consideradas partindo sempre da mulher, mas considere também partindo do pai, ok?! Elencamos algumas delas, dividindo-as a nosso critério, em séries, não da Netflix, mas das frases que ninguém jamais esquece.

Da série conselhos e previsões certeiras: "Essa brincadeirinha não vai dar certo, vai acabar se machucando"; "Leve um casaco, vai que tá frio"; "Leve um guarda-chuva, vai chover"; "Você só vai parar quando se machucar e vir chorar no meu colo, né?"

Da série só escute e não discuta: "Me responde de novo, que você vai ver uma coisa"; "Vê se não me mata de vergonha no supermercado e não pede nada, só trouxe o dinheiro da feira."

Da série chantagem emocional: "Quero ver no dia que eu morrer, como vocês vão se virar sem mim!"; "Eu queria sumir um dia e ficar de longe só vendo como vocês ficariam"; "Você quer que eu morra, quer me ver num caixão?"; "Tô cansada, você não ajuda em nada nessa casa, vou acabar morrendo antes do tempo. Vejo a hora de ter um derrame".

Da série a resposta mais irritante de todas: Temos aqui um clássico, que era utilizado em qualquer situação: "Mas, mãe, todo mundo vai para a festa" (tem celular, usa roupa de marca, dorme na casa dos amigos, viaja com os amigos...); "Você não é filho de todo mundo".

Da série perguntas da inquisição, da CIA, da Polícia Federal: "Quem é esse menino? Conhece ele de onde? Quem são os pais dele? Por que ele tem tatuagem? Não gosto disso"; "Tá falando com quem ao telefone? Por que tá falando com essa voz baixinha?"; "Quem é essa que você tá falando no MSN (hoje *WhatsApp*)? Deixa eu ver a cara da sujeita"; "Esse seu amigo é estudioso, pelo menos?"

Da série perguntas que você não deve responder: "Você acha que sou dona da companhia de luz?"; "Tá pensando que o céu é perto?"; "Você acha que dinheiro dá em árvore?"; "Você não tem mais casa, não? Tá morando na rua agora, é?"; "Por acaso você está vendo a palavra idiota escrita na minha testa?"

Da série perguntas que já vêm com a resposta: "Você achou isso aqui no chão? Não, né?! Então, vai guardar no lugar certo"; "Tá chorando por quê? Pode engolir esse choro agora, senão vou lhe dar um bom motivo pra você chorar"; "Esqueceu por quê? Só não esquece a cabeça porque está grudada no seu pescoço".

Da série qual é sua utilidade mesmo?: "Me ajuda a lavar a louça. Enxugue pelo menos esses pratos"; "Faz alguma coisa nessa casa"; "Levante desse sofá e saia da frente dessa televisão"; "Largue desse computador"; "Faça alguma coisa de útil nessa vida".

Da série eu não tive nada disso: "Na minha época nem livro eu tinha e aprendi"; "Na minha época nem luz elétrica tinha e eu estudava"; "Na minha época eu usava as roupas das minhas irmãs, nem por isso tenho trauma".

Da série rogando "praga": "Um dia você vai ter um filho igualzinho a você, aí eu quero ver. Aí você vai entender o meu sofrimento"; "Você ainda não saiu da frente desse computador? Sabe onde você vai parar desse jeito? Vai morar debaixo da ponte"; "Tá pensando que eu vou estar aqui a vida toda? Vou não, aí você vai passar fome"; "Mulher nenhuma vai te aguentar desse jeito. Esposa não é besta feito mãe não". E a "praga" clássica que se cumpriu algumas vezes rsrsrs: "Esse seu namorado não presta, ouça o que eu tô dizendo".

Da série comparações irritantes: "Você é igualzinho ao seu pai" (claro, não poderia ser igual ao vizinho); "Faça como seu irmão"; "Veja seu primo fulano"; "Olha como a filha de sicrana é educada. Vê se aprende e para de me matar de vergonha".

Da série eu sou sua mãe e pronto: "Tá pensando que tá falando com quem?! Me respeite, seu cabra, não sou sua pariceira não, viu!" (corruptela da palavra pareceira, sinônimo de parceira, muito usada no nordeste).

Da série informando quem eu realmente sou para a namorada: "Você sabia que o quarto dele é um lixo?"; "Ele tá levando água pra você na bandeja agora, minha filha, é melhor não se acostumar que ele não faz isso em casa não"; "Você sabia que ele dorme sem tomar banho?"

Da série minha casa minha lei: "Aqui na minha casa não. Quando você for dono do seu nariz, você faz do jeito que você quiser"; "Quem come do meu feijão, experimenta do meu cinturão".

E finalmente quando você, depois de ela pedir umas mil vezes, fazia algo que ela tanto solicitara, esperando assim uma medalha, um título de honra ao mérito ou um simples olhar de reconhecimento, ouvia: "Não fez mais do que a sua obrigação".

Uma vez eu perguntei à minha mãe:

– Mãe, você não cansa não de dizer todo dia as mesmas coisas? – Tire a toalha molhada da cama... Vá estudar... Escove os dentes... Tire esse tênis daqui... Arrume seu quarto... Desligue essa TV... Saia da frente desse computador... blá, blá, blá.

– Claro que canso. Aliás, toda mãe cansa desde o primeiro dia.

– Então, por que continua falando?

– Na esperança de que um dia você aprenda. Quando você fizer eu parar de falar, simples assim.

Um exemplo nos ajudará a entender mais a necessidade de tanta repetição na educação de filhos.

Se você já pegou algum voo, deve ter ouvido um aviso que se repete, a cada voo, em todos os países e idiomas, que diz algo mais ou menos assim:

Senhoras e senhores, bom dia. Meu nome é Jéssica, chefe de cabine desse voo e em nome do Comandante Pedro Paulo e dos demais membros dessa tripulação temos o prazer de recebê-los a bordo em nosso Boeing 737-800, para voo 8256 com destino a São Paulo, Aeroporto de Guarulhos e conexões. Conforme a legislação brasileira, informamos que não é permitido fumar a bordo, inclusive nos toaletes. Pedimos agora a sua atenção para a apresentação de nossos procedimentos de segurança, mesmo que seja um usuário frequente dos nossos voos. Em caso de despressurização da cabine, máscaras cairão automaticamente. Puxe uma das máscaras para liberar o fluxo de oxigênio, ajuste o elástico em volta da cabeça e coloque-a sobre o nariz e a boca e respire normalmente (como se alguém pudesse ficar respirando normalmente numa situação dessas, mas vamos lá), depois auxilie crianças e pessoas necessitadas. Para afivelar o cinto levante a fivela, una as pontas e ajuste-o ao corpo. Para abri-lo puxe a parte superior. Retornem o encosto de sua poltrona para a posição vertical, feche e trave a mesinha à sua frente. Esta aeronave possui luzes indicativas de emergência situadas ao longo do corredor, no teto, indicando oito saídas de emergência, sendo duas portas na parte dianteira, quatro saídas sobre as asas e duas portas na parte traseira, onde não é permitido bagagens durante pousos e decolagens. Nossas portas foram fechadas e travadas e todos os equipamentos eletrônicos devem ser desligados ou colocados em modo avião. Informações adicionais estão indicadas nos cartões, nos bolsões, à sua frente. Em caso de pouso na água, lembramos que o assento de sua poltrona é flutuante.

Para! Para! Que aviso mais punk esse final, gente! Para que essa informação: Pouso na água!!! Vocês já ouviram falar em alguém que foi encontrado vivo flutuando com o assento no meio do oceano após um pouso na água?! Eu nunca ouvi falar, mas o aviso é dado.

Durante os avisos, costumamos observar o comportamento das pessoas. Identificamos várias reações. As pessoas que estão voando pela primeira vez, e você sabe disso porque elas fazem *selfie* em vários momentos, especialmente pegando o avião como fundo na imagem da foto, ou interrompendo a subida na escada, já que querem tirar uma *selfie* com a turbina do avião ao fundo. Bem, quem pode julgar esse comportamento de principiante. A primeira vez que viajei de avião também fiquei bem ababacado. Grande foi a decepção quando, ao entrar, percebi que era igual a um ônibus, só que com asas.

Alguns passageiros, às vezes, pensam que "aquilo" vai acontecer e ficam com os olhos arregalados. Existem aqueles que têm tanto pânico de voar, sempre acreditam que "aquilo tudo" vai acontecer naquele voo, e por isso já tomaram algum calmante e estão com seus travesseiros de pescoço, dormindo com a boca aberta. Há aqueles que ainda estão utilizando o *WhatsApp*, apesar do aviso de que os telefones devem permanecer em modo avião, alguns lendo livros ou revistas de bordo, e uma minoria prestando atenção ao aviso. Então, por que avisos são dados repetidamente? Vamos entender.

Se você é do tipo que ao menor sinal de perigo procura alguém para te ajudar, saiba que essa é uma reação comum, mas como nem sempre temos quem nos ajude, precisamos desenvolver a capacidade de agir sozinhos, com rapidez e eficiência.

Isso não ocorre se ficamos em pânico. Entramos em pânico em situações críticas, por causa do disparo automático de uma superprodução do hormônio do estresse, o cortisol. Esse hormônio vai direto para o cérebro retardando as atividades do córtex pré-frontal, que é a região responsável pelo planejamento de ações complexas.

Ao substituir a reação automática de nosso corpo, nós podemos continuar a acessar nossa capacidade de pensamento crítico e planejamento. Desse modo, substituiremos a resposta emocional pelo pensamento racional.

Por isso, o objetivo da repetição é gerar uma espécie de treino mental. Lembrar os procedimentos nos ajudará a identificar os sinais que compõem uma real situação de emergência, ajudando-nos a lidar com ela.

Esse treino mental capacita-nos a não entrar em pânico e a colocar o poder de resolver a situação em nossas próprias mãos, de tal modo que saberemos, caso o pior aconteça, que não importa onde ou com quem eu esteja, pois eu terei a capacidade de lidar com a situação.

Por isso, nossas mães e pais repetiam tanto. Eles sabiam que em muitos momentos estaríamos por nossa conta e queriam garantir que saberíamos como agir na ausência deles.

Enfim, os pais nos treinavam para a autonomia. Eles podem ter errado muitas vezes, errado na forma, na dose, na hora em que tentaram ensinar. Mas, saiba que sempre foi com um objetivo amoroso.

Começamos a aprender repetindo palavras, depois soletrando palavras, até fixá-las em nossa memória. Quando éramos crianças, desafios como aprender a amarrar nosso sapato foi um truque difícil de dominar, mas de tanto tentar, finalmente aprendemos a dar um nó em forma de oito (eu até hoje não consegui fazer esse nó, faço dois laços e os cruzo rsrsrs).

E assim, a cada conquista de autonomia dos filhos, os pais têm a sensação de dever cumprido. Por isso, tantas frases, tanta repetição.

Mas, vamos ser justos. Muitas vezes, após essas frases, vinha uma pequena pausa, e em seguida uma frase que desdizia tudo. Por exemplo: "Deixa aí que tô vendo o jornal! (pausa e depois) Qual o filminho que meu filho quer ver, papai assiste com você"; "Você não para de comer um minuto?! (pausa e depois) Quer um sanduíche com vitaminazinha? Mamãe faz"; "Por que você trouxe tantos amigos, você não sabe que não gosto de muito menino aqui em casa? (depois) Chame seus amiguinhos, eu fiz pipoca e suco"; "Você não vai e pronto! (pausa e depois) Tome R$ 50,00 para comprar um lanche lá". Coisas de mãe, coisas de pai.

E em meio a todas essas frases, a todas essas perguntas, inquisições e reclamações, havia os gestos mágicos, que demonstravam que não tinha mágoa, não tinha rancor, não tinha ressentimento, tinha perdão constante e um amor sem medidas. Minha mãe me chamava e dizia: "Dindo! (apelido carinhoso que ela me deu), Venha cá, mamãe tá com saudades". Então, eu chegava perto, ela me puxava e, mesmo eu já adolescente, fazia cócegas na barriga. Eu fingia que não gostava, dizia: "pare mãe, não sou mais criança!", mas no fundo era o maior prêmio, era a recompensa total, a sensação de conforto e acolhimento, o mesmo que sentia quando ela colocava a mão na minha testa para ver se estava com febre e fingia que estava tudo bem, apesar de eu perceber certo desespero em seu olhar, um medo enorme de me perder.

Embora a grande maioria dessas frases não tenha aplicação nos dias de hoje, usei-as como exemplo para que você possa ter uma noção do quanto é importante a sua presença, dedicação e comprometimento na vida de seu filho.

8.
Ensinando os filhos o tempo todo, mesmo sem saber

Um dia fui eu quem colocou a mão na sua testa e, para meu desespero, ela estava fria. Não foi fácil. Doeu muito. Mas, eu tinha que fazer uma escolha. Fixar minha mente na dor daquele momento de temporária despedida, ou agradecer toda a vida vivida com ela até ali.

Eu lembrei das muitas vezes que disse à minha mãe que a odiava, porque ela não me deixava fazer o que eu queria. Quantas vezes eu disse: "Você faz tudo para estragar a minha vida". Mas, aos 67 anos, vítima de lúpus e fibrose pulmonar, sobrevivendo com um respirador artificial por mais de seis anos, minha mãe teve de partir.

As cenas de um velório são dolorosas, às vezes, cruéis, e você já deve ter passado por isso com alguém que você ama. Pensar em nunca mais ouvir aquela voz dizendo: "Deus te abençoe". Você daria tudo para ouvir só mais uma vez. Mas, eu resolvi não me concentrar na fotografia daquele dia, resolvi lembrar do filme de nossas vidas juntos. Aí, comecei a me lembrar das histórias e dos micos que paguei.

Certa vez, com 16 anos, pensando que minha mãe chegaria na hora de sempre em casa, chamei uma ex-namorada no início da tarde. Fomos para o quarto e, de repente, minha mãe chegou mais cedo do que eu esperava e, como um radar, foi direto abrir a porta do meu quarto e me viu fazendo uma coisa que você jamais quer que sua mãe veja você fazendo.

Ela abriu a porta e fechou tranquilamente. Pegou o telefone e ligou para a minha namorada e, em alto e bom som, para que eu e minha *ex* ouvíssemos, ela disse: – Venha aqui em casa que seu namorado está lhe traindo com a ex-namorada.

Eu saí do quarto com vergonha do que tinha acontecido, mas com mais raiva pelo que ela estava fazendo e disse: "Mãe, você não é minha mãe, não". Ela respondeu: "Sou sua mãe sim, de um cafajeste, não. Eu criei você para ser um homem de bem. O que você está fazendo é uma palhaçada. Agora, seja homem o suficiente para assumir as consequências".

Foram várias as cenas que eu comecei a lembrar, porque o que me cabia ali, naquele dia, não era o lamento, mas sim a gratidão por tudo, até então, vivido.

Lembrei que eu não gostava muito de estudar. Mas, não gostava mesmo. Então, um dia, quando eu tinha por volta de quatorze anos de idade, ela me chamou e disse:

– Meu filho, eu percebi que você não gosta de estudar.

Eu confesso que fui tomado de uma alegria íntima profunda. Porque ela falou de forma tão doce que eu concluí que, sendo ela minha mãe e vendo meu sofrimento, ela me libertaria dele. Então, eu respondi firmemente:

– Pois é, mãe, eu realmente não gosto de estudar. Ainda bem que a senhora percebeu.

Ela não retrucou, ficou calada me olhando e depois me fez uma pergunta:

– Meu filho, você tem sonhos?

– Claro mãe, tenho vários.

Então, ela segurou em minhas mãos, sorriu para mim e me pediu para contar a ela quais eram meus sonhos.

Aí, eu não economizei. Comecei uma lista enorme que iniciava pelo desejo de ir para Disney (um clássico dos sonhos). Viajar pelo mundo, ver de perto as pirâmides do Egito, comprar um Gol GT 1.8 (um carro da Wokswagen dos anos oitenta), casar com uma mulher linda e encantadora (esse sonho eu realizei, Aha!). Mas, quando eu estava suspirando só de imaginar tudo aquilo, minha mãe disse:

— Meu filho, que lindo! Mas, quem vai te dar tudo isso? Porque precisa de dinheiro pra isso, sabia? E eu não sei se você reparou, mas nós somos pobres.

Meu mundo caiu. E respondi já em tom irônico:

— Minha mãe, depois de passar meses almoçando arroz com ovo, se é uma coisa que eu não tenho dúvidas é de que somos pobres.

Mas, ela me disse uma coisa que momentaneamente renovou minhas esperanças.

— Meu filho, existem três formas de ganhar dinheiro sem estudar.

Eu fiquei pensando: "caramba, tem opções *a, b* e *c*. Não é possível que eu não me encaixe em alguma dessas". Foi aí que ela começou a especificar cada uma delas.

— A primeira opção é a seguinte – quando a pessoa nasce muito privilegiada esteticamente, ela chama tanto atenção das pessoas que pode ganhar dinheiro só com a cara. Mas, embora você seja meu filho e eu o ame, eu preciso dizer que no seu caso não vai dar para tanto.

Como vocês podem perceber, minha mãe sempre foi sincera!

— A segunda opção se dá quando você é muito bom em algum esporte, mas muito bom mesmo. E, no caso do Brasil, tem que ser bom no futebol. Porém, eu já o vi jogando, meu filho, e você é um desastre com a bola.

Mas eu tinha fé, restava uma opção, e Deus haveria de me ajudar.

— A terceira opção de ganhar dinheiro sem estudar, meu filho, é virar bandido, roubar banco, fazer essas coisas desonestas que você já sabe.

Naquele momento eu fiz um movimento quase imperceptível no canto da boca. Um microssorriso, esboçando um sentimento de que talvez, já que eu não era um modelo, nem um Pelé do futebol, restava para mim uma opção, virar bandido. Qualquer coisa, menos estudar. Mas, minha mãe parecendo o Dr. Cal Lightman, da minissérie *Lie To Me*[9] (Engane-me se puder), olhou para mim e disse:

— E nem adianta dar essa risadinha no canto da boca, não, porque você vai ser um homem de bem, custe o que custar. Daí, me segurou mais firme e disse.

— Entendeu a parte do "custe o que custar"?

— Entendi, mãe.

— Então, só lhe resta uma opção, que não é nenhuma das que eu falei. E qual é?

Respondi com profundo pesar no coração:

---

9 *Lie To Me* (no Brasil, *Engana-me se Puder*) é uma série televisiva americana que estreou no canal FOX em 2009, chegando ao Brasil no ano seguinte. O personagem principal, Dr. Cal Lightman (interpretado pelo ator Tim Roth) detecta fraudes, observando a linguagem corporal e as microexpressões faciais das pessoas.

– Estudar. Mas eu não gosto!

– Eu não disse que você tem que gostar, meu filho. Eu disse que você tem que fazer. A vida não é feita só do que gostamos. Você acha que os adultos acordam felizes numa segunda-feira para ir ao trabalho? Eu sou jornalista, amo o que eu faço, mas mesmo assim tem dia que eu daria tudo para ficar em casa, sem fazer nada. Mas eu não posso.

A conversa terminou por ali. Todavia, ela contou o que havia acontecido ao meu avô, pai dela, um homem que faz parte do melhor de mim, junto com meus pais, meu irmão e agora minha esposa. Então, ele me chamou para conversarmos e me contou uma história da vida dele que eu já conhecia, mas que naquele dia ganhou conclusão nova e cheia de significados para minha vida.

– Meu filho – era assim que ele me chamava –, sua mãe veio me dizer que você não gosta de estudar. Eu quero lhe contar uma história. Quando eu tinha quatorze anos (ironicamente a mesma idade que eu tinha naquele dia da conversa com minha mãe sobre estudar), eu olhei para meus pais e meus irmãos, com as mãos calejadas de usar a enxada naquele sertão da Paraíba, numa terra seca, passando fome, e eu fugi. Eu não queria que a família, que eu viesse a ter um dia, passasse por aquilo. Depois de morar em várias cidades menores, vim para Campina Grande, um centro educacional e universitário conhecido, para proporcionar aos meus filhos, incluindo sua mãe, a educação que eu não tive. E, na sequência, ele concluiu com uma frase emblemática: – Portanto, não desonre o meu esforço!

Meu avô fez muita coisa na vida. Vendeu sucata, teve banca em feira livre. Vendeu produtos de porta em porta e finalmente tornou-se caminhoneiro, antes de se aposentar. Viveu longos noventa e quatro anos.

Apesar de não ter curso superior, adorava ler, especialmente poesia. Também adorava fazer poemas, e como era muito, mas muito carinhoso mesmo, terminou a conversa desse jeito:

– Mas, para estimular você, vou entregar um de meus poemas. Toda vez que você estiver com preguiça de estudar, leia ele.

A letra dele era belíssima, como a da minha avó também. Ambos fizeram caligrafia. Pena que eu não tenho esse texto escrito por suas mãos, mas ele está indelével em minha memória.

Estude e não esmoreça,
Pois traz erguida a cabeça,
Quem sempre cumpre o dever

A vida é luta e batalha,
E nela só quem trabalha,
Merece e deve vencer

Manoel Irineu

Enfim, naquele dia, eu me lembrei da vida, não me fixei na morte aparente. Agradeci à minha mãe por tudo. Mas, tinha lições que eu nem sabia ou percebia que ela tinha me dado.

Quando comecei a escrever esse livro, minha editora me perguntou: *Como você aprendeu a escrever?* Eu nunca tinha pensado sobre isso, mas imediatamente veio mais uma vez a minha mãe na mente e um *flashback* intenso começou a se desenrolar como um filme.

Minha mãe era jornalista. Ela começou a escrever artigos para jornal nos anos 70, teve programa de rádio e de TV, na emissora local da antiga TV Tupi. Trabalhou em vários jornais na função de jornalista, até que foi chamada para ser articulista de temas diversos. Por isso, apesar de sermos uma família humilde, nossa casa era frequentada por vários intelectuais.

Ela escrevia sempre com uma máquina *Olivetti Lettera 82* portátil com maleta, na cor verde, aliás, um verde meio desbotado e horrível. Hoje, você só encontra essa máquina para vender no Mercado Livre.

Quando chegou a era dos computadores, minha mãe inicialmente não teve a menor paciência de aprender a usar, mas eu e meu irmão tínhamos um computador IBM-PC, com tela de fósforo verde. Estávamos na era pré-Windows, e utilizávamos um sistema operacional chamado DOS, sigla para *Disk Operating System*, e um processador de texto chamado WS. Somente depois compramos um computador com processador 386 da Intel, com tela colorida e com Windows, e passamos a usar o processador de texto Word da Microsoft.

Então, minha mãe aposentou a Olivetti dela e passou a escrever os artigos a mão. Eram páginas e páginas de papel ofício rabiscadas, num labirinto de texto que começava reto e depois subia pelas laterais, conforme o intenso fluxo mental que ela tinha. Depois ela entregava tudo a mim ou a meu irmão para ser digitado.

Até aí, tudo bem, mas como ela era perfeccionista, depois que imprimíamos a primeira versão digitada para que ela corrigisse, começava uma série de correções exaustivas que podia chegar a dezenas de versões, até ela achar que o texto estava bom. Aquilo me tirava o juízo e o do meu irmão. Pegávamos brigas homéricas com ela, mas fazíamos assim mesmo, não tinha opção de não fazer. Afinal, o trabalho dela mantinha a casa, e ela nem precisava nos lembrar disso.

Nesse *flashback* lembrei também do filme de 1984, Karatê Kid: a hora da verdade. Nele, o jovem Daniel Sun (Ralph Macchio) foi aprender Karatê com o Senhor Miyagi (Pat Morita), mas inicialmente teve por simples tarefas encerar carros e pintar as paredes da casa do Senhor Miyagi. Após se sentir explorado, muito irritado, questionou o Mestre. Foi quando descobriu que, ao fazer aquelas tarefas aparentemente sem propósito ou conexão com seu objetivo final, ele na verdade estava treinando para grandes desafios, que culminariam no golpe derradeiro que o fez ganhar o campeonato de luta, o famoso Golpe da Garça. Quem não se emocionou vendo esse filme? Se você não assistiu ao filme ou quer rever essa cena, eu a encontrei no *YouTube*, dividida em dois vídeos de quatro minutos cada. Só achei em espanhol, mas é perfeitamente compreensível. Para acessar o primeiro vídeo digite no *YouTube*: *Luis Alfonso Mendoza y Jorge Roig – Karate Kid (Doblaje Original)* e para o segundo vídeo digite: *Luis Alfonso Mendoza y Jorge Roig Karate Kid 1984 Doblaje Original.*

Mesmo quando não era essa a intenção, minha mãe me ensinou. Cada texto corrigido, várias vezes sem vontade e com muita irritação de minha parte (e eu não estou exagerando na irritação com a qual eu digitava e redigitava aqueles artigos), fazia parte de um treino.

O que fica, então, depois disso? Nada a reclamar, nada a lamentar, mas tudo, absolutamente tudo a agradecer... E tenha certeza de que seu filho saberá reconhecer, quando tiver maturidade para isso, toda a sua dedicação e empenho para educá-lo.

9
Era uma vez a família como a conhecíamos: os filhos do divórcio

Nossa geração, na ânsia justa por mudanças e avanços, deixou para trás um modelo de família que, apesar de seus muitos problemas, funcionou durante séculos na construção das identidades e da cultura.

Voltemos rapidamente à segunda guerra mundial. Como vimos, naqueles anos difíceis e com os homens distantes, alistados nas forças armadas, e a crescente necessidade por material bélico, as indústrias buscaram a mão de obra feminina, e as mulheres sentiram o sabor da liberdade que vinha da independência financeira. A partir dali, lançou-se o gérmen da busca por direitos, que explodiria nos anos 60 do século passado.

Essa explosão ocorreu porque os ganhos obtidos durante a segunda guerra mundial provaram-se transitórios para as mulheres; elas foram obrigadas a abrir caminho nos postos de trabalho para os militares que retornavam da guerra, como havia ocorrido no fim da primeira guerra mundial.

No entanto, havia uma diferença. Ao contrário dos anos 1920, o final dos anos 40 e 50 foram períodos de crescimento econômico sustentado, o que abriu espaço para a expansão da força de trabalho, e muitas mulheres foram atraídas a permanecer no mercado, ainda que ganhando bem menos que os homens.

Essas funções eram vistas como "trabalho de mulheres", e os empregos ainda eram estritamente segregados por gênero.

Ainda assim, apesar da segregação e dos salários menores que ainda hoje, infelizmente, persistem, a partir dali as mulheres experimentaram a liberdade de gerir a própria vida. Altamente compreensível, pois, elas entenderam que podiam ter autonomia e independência financeira e isso dava também capacidade de não serem submissas a relações em que já não havia mais amor, mas sobrava sujeição, quando não muita violência doméstica.

Desse modo, começaram os divórcios. E as separações naquela época ocorreram, em grande medida, por mulheres que não suportavam mais humilhação.

Não é meu objetivo fazer uma análise mais detida aqui da situação da mulher, por isso, para minha sumarizada narrativa histórica, vou focar no que acho central como resultado do que ocorreu na família a partir daí, ou seja, a vida dos filhos do divórcio.

E aí começam os problemas – a culpa gerada nos pais por causa do divórcio, a ausência do pai na educação dos filhos, a briga de ambos pela atenção da criança, a alienação parental, a culpa da mulher que trabalha e não dedica atenção que acha necessária aos filhos, entre outras coisas. Vamos pensar sobre cada ponto desses.

Mas, fique tranquilo, não vou focar apenas nos casais separados. Muita coisa que acontece com eles, em relação à educação dos filhos, também se aplica aos casais que estão juntos, você irá perceber isso. De todo modo, falarei da culpa que também existe nas famílias em que os casais não se separam, mas que por causa do trabalho excessivo tornam-se reféns na relação com os filhos.

Em sua grande maioria, os casais que se divorciam, antes tentam permanecer juntos, em nome dos filhos, tendo por grande motivação o desejo de que os filhos não passem pelas dores de uma separação.

Como sabemos, apesar disso, muitos não conseguem e se lançam na desafiadora busca de reconstrução afetiva, levando consigo a culpa de "destruir" o lar e com isso obrigar os filhos a uma vida infeliz.

Mas, será que é isso mesmo? Que todos os filhos de pais divorciados são disfuncionais e problemáticos?

Não é bem assim, e talvez você que esteja lendo esse livro agora, e como eu, tenha pais divorciados, saiba bem do que estou falando, pois embora tenha sido bem difícil a vida depois da separação de nossos pais e tenham existido alguns momentos muito dolorosos, não necessariamente você se deu mal na vida.

Na verdade, existe uma série de exaustivas pesquisas nos últimos 40 anos mostrando que os casais que se divorciam conscientemente e se tornam parceiros amigáveis na coparentalidade têm educado filhos muito mais felizes do que, por exemplo, casais que permanecem em relações infelizes e/ou desrespeitosas.

Opa! O que é isso mesmo, Coparentalidade? Vamos lá, o termo coparentalidade (*coparenting*) é um conceito que visa descrever uma relação de parentalidade em que os dois pais de uma criança, que não estejam mais romanticamente envolvidos, continuem a assumir a responsabilidade conjunta na educação de seu filho.

Ocasionalmente, os cientistas sociais também usam o termo para descrever qualquer situação em que duas pessoas estejam educando uma criança em conjunto, independentemente de serem ou não os pais biológicos ou nunca terem formado um par romântico, cena muito comum em várias famílias em que a mãe e a avó (ou outro parente) dividem a educação de uma criança após a separação ou mesmo quando o pai nem assumiu a criança. Contudo, a coparentalidade, frequentemente, ocorre após um divórcio ou ruptura de uma parceria romântica em que as crianças estão envolvidas.

Não se trata de um contrato escrito, é uma decisão conjunta em que dois adultos (pais ou não), assumem papéis que não necessariamente devam ser equivalentes em autoridade e responsabilidade, pois essa equivalência no comando da relação é construída dia a dia pelos participantes, atendendo sempre a um conjunto de questões sociais e culturais.

Agora que entendemos o que é coparentalidade, precisamos dizer que, mesmo que um dos cônjuges abandone o "barco", na maioria dos casos quando isso ocorre são os homens que o fazem, ainda assim as crianças não são tão afetadas quanto supomos.

Eu sei! Você deve estar pensando que eu não tenho juízo ao afirmar isso, pois é mesmo difícil de admitir. Temos uma tendência clara a acreditar piamente que as crianças devam ser criadas por pais casados, que vivam juntos, numa casa idealizada, numa verdadeira família de comercial de margarina. No entanto, vários estudos apontam para outra direção, focando nas reais necessidades das crianças, o que não quer dizer que ter os pais juntos, morando e vivendo um casamento harmonioso, não continue sendo além de desejável, algo fantástico.

Esses estudos concluem que cerca de 80% das crianças adaptam-se bem após o divórcio, sem efeitos negativos demorados sobre seu desempenho escolar, ajustamento social e mental.

Muitas são as fontes que demonstram essas descobertas, especialmente um estudo de 20 anos feito pela psicóloga Constance Ahrons, publicado no livro: *O Bom Divórcio: Como Manter a Família Unida Quando o Casamento Termina*. Nesse livro ela questiona: qual o verdadeiro legado do divórcio? O que ela aprendeu em sua pesquisa foi surpreendente. Foram desconstruídos muitos dos estereótipos de que filhos de pais divorciados são mais propensos ao uso de drogas, com péssimas possibilidades acadêmicas ou de estudo de um modo geral, além de emocionalmente perturbados.

Os estudos da Dr.ª Ahrons mostram que a maioria das crianças se adapta bem, quando não melhora com a mudança advinda da separação. Embora se saiba que o divórcio não seja algo fácil no contexto de qualquer família, a Dr.ª Ahrons leva-nos a perceber, por sua pesquisa, que as crianças não precisam ser destruídas durante essa ruptura. E nos deixa por legado, enquanto terapeuta familiar, dicas, pistas que nos ajudam a identificar a que os filhos são expostos após o divórcio, e como manter os laços de família após a separação. Fica aqui essa excelente dica de leitura.

Outra pesquisa fundamental é o metaestudo de Michael Lamb[10], professor da Universidade de Cambridge, em que compara cerca de 1000 estudos realizados sobre ajuste de infância, feito ao longo das últimas quatro décadas. Intitulado *Mothers, Fathers, Families, and Circumstances: Factors Affecting Children's Adjustment* (Mães, Pais, Famílias e Circunstâncias: Fatores que Afetam a Adaptação da Criança, numa tradução livre), ainda sem tradução para o português. A obra resume as características de uma infância com verdadeiro suporte emocional, destacando-se em suas observações que, quando os pais se dão bem, mesmo estando separados, e as crianças também mantêm boa relação com eles, o seu desenvolvimento é pleno e saudável.

A pesquisa também evidencia os inúmeros benefícios no desenvolvimento das crianças, como resultado de pais emocionalmente estáveis, quando esses se recuperam após a separação, um fator que os leva a se concentrar na educação dos filhos, provocando estabilidade emocional nas crianças, especialmente ao exercerem disciplina e responderem às necessidades afetivas delas.

---

10 Michael E. LAMB, *Mothers, Fathers, Families, and Circumstances*: Factors Affecting Children's Adjustment, Applied Developmental Science, 16:2, 98-111, DOI: 10.1080/10888691.2012.

Finalmente, todos esses estudos parecem chegar à mesma conclusão: o casamento não é determinante para a vida saudável das crianças, sem negar com isso a importância de um casamento harmônico. Mas, realça que o que importa realmente para o bem-estar de suas vidas é um relacionamento amoroso com pais (casados ou não), o que não acontece quando esses estão envolvidos em conflitos comuns a casamentos falidos.

O estudo ainda mostra que as crianças são mais resilientes que imaginamos, ou seja, capazes de enfrentar muitas dificuldades familiares ao longo de suas vidas, pois à medida que vão crescendo vão ressignificando (dando novo significado) e superando essas dificuldades.

Talvez você não tenha exata compreensão do que seja resiliência, então, vale a pena falar rapidamente a esse respeito. Resiliência é o processo de adaptação que desenvolvemos diante das adversidades da vida: traumas, tragédias, ameaças ou fontes significativas de estresse (problemas familiares e de relacionamento, problemas graves de saúde), entre outros.

As pesquisas em psicologia têm demonstrado que, ao contrário do que se pensava, a resiliência é uma capacidade ordinária, não extraordinária. As pessoas geralmente demonstram resiliência.

Ser resiliente não significa que uma pessoa não experimente dificuldade ou angústia, muito pelo contrário. Na verdade, a dor emocional e a tristeza são comuns entre pessoas que sofreram grande adversidade ou trauma em suas vidas. O que ocorre mesmo é que o caminho para a resiliência é sujeito a envolver considerável sofrimento emocional. E talvez seja por isso mesmo que a resiliência não venha a ser uma característica que as pessoas tenham ou não tenham. Ela envolve comportamentos, pensamentos e ações que podem ser aprendidos e desenvolvidos por qualquer pessoa em diversos momentos da vida.

Ok! Está muito linda essa história de coparentalidade, de pais separados afetivamente, mas unidos pelos filhos, mas e quando nada disso acontece? E quando eles se odeiam? Querem que o outro morra ou jogam os filhos um contra o outro? Bem, como sabemos, o ressentimento entre o casal separado, infelizmente, é o que acontece em muitos dos casos.

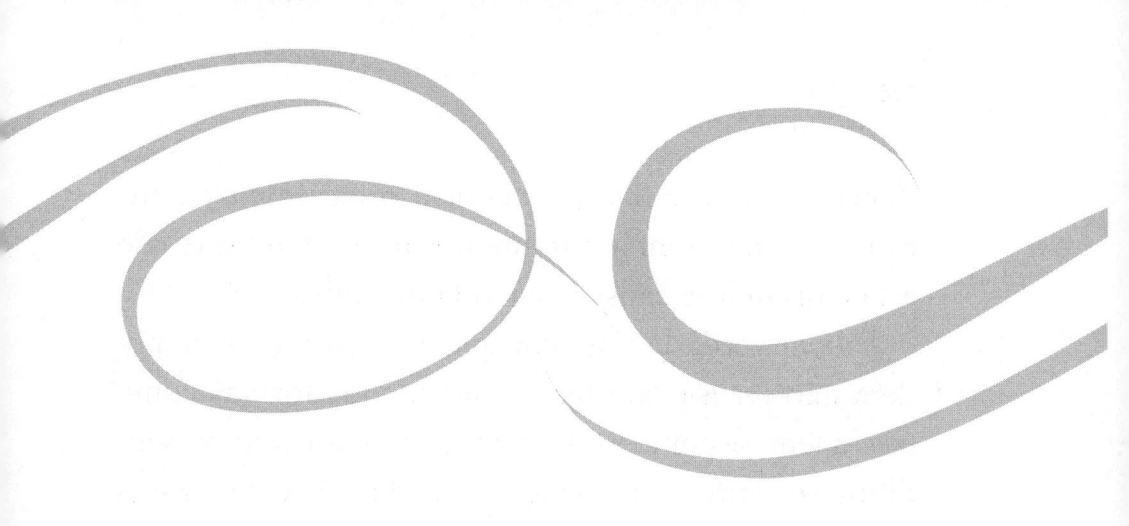

10.
Divórcio: quando depois do fim, continua a guerra

Para as crianças, especialmente na infância, seus pais são as pessoas mais importantes de suas vidas. Se isso é muito bom na maior parte das vezes, pode se tornar perigoso após uma separação em que o ódio permanece. Isso porque é muito fácil, após a separação, os pais usarem mal esse poder sobre os filhos, sobretudo, nos casos em que se sintam magoados com o que aconteceu e, por isso, sintam-se estimulados à vingança.

Não há como negar que a maioria dos pais ama e se preocupa com seus filhos de forma sincera. Mas, em tempos de conflito intenso em um relacionamento, as crianças podem, e para alguns pais equivocados, "devem" se tornar armas contra o ex. Infelizmente, esses pais não têm a mínima noção do dano que isso está causando e causará na vida dos filhos.

É bem verdade também que, às vezes, os pais podem não ter a exata noção das muitas formas como eles agem, e como isso afeta a maneira que os seus filhos se sentem em relação a cada um deles. Essas coisas incluem colocar as crianças em uma posição na qual eles sentem que têm de proteger ou tomar partido por um dos pais, ou de magoar ou escolher entre as pessoas que ama, provocando angústia e dor.

Essa inversão de valores é tão absurda que muitas vezes temos pais completamente incapazes de entender quem realmente precisa de apoio e suporte após uma separação. Em casos como esses, ao invés de darem apoio a seus filhos, os pais esperam que seus filhos cuidem deles e se responsabilizem em fazê-los felizes, quando deveriam os pais fazerem isso pelos filhos.

Uma inversão na ordem do amor, com alto custo para os filhos e depois para os próprios pais.

O fim do casamento, em que o conflito permanece, é especialmente difícil para crianças até cinco anos de idade, já que elas são muito vulneráveis nesse período, vendo-se diante de mudanças dramáticas em seu mundo, após observarem sua estabilidade destruída, com o divórcio. Logo, não são elas que devem cuidar dos pais, mas sim o contrário.

Crianças mais velhas e adolescentes podem experimentar um tempo de confusão e incerteza, mesmo que sejam mais capazes de entender o que está acontecendo com a família.

Ainda assim, os filhos não podem ser obrigados a expressar uma opinião ou comportamento contra um dos pais, pois isso termina por gerar retaliação daquele que não conseguiu jogar a criança contra o outro, ou do que foi preterido pelo filho.

Os filhos de um modo geral (adolescentes e adultos), e as crianças pequenas em particular, nunca estarão prontas, e nem mesmo devem tomar a decisão de tamanha repercussão emocional que é a de escolher entre um dos pais. Ser obrigados a tomar essa decisão coloca um peso muito grande sobre eles, já que escolher entre seus pais, na maioria esmagadora dos casos, leva-os a sentir culpa em relação ao pai ou à mãe que não foi escolhido.

Eles muitas vezes manifestam uma profunda mágoa e raiva daquele de quem estão se afastando, mas que depois se volta, ironicamente, para o que foi "escolhido", ou seja, hoje odeio quem eu rejeito, amanhã irei odiar quem me obrigou a rejeitar. Isso ocorre porque, após alguns anos, aquele filho ou filha percebe que foi usado injustamente na guerra entre os pais.

Depois da separação, decidir o futuro dos filhos deve ser uma tarefa conjunta dos pais, posto que eles são quem mais conhecem as reais necessidades dos filhos e, por isso mesmo, têm mais do que qualquer outra pessoa a capacidade de tomar as decisões a respeito do futuro dos filhos.

No entanto, se o conflito entre o casal separado impede que essas decisões sejam tomadas, é importante que outros parentes entrem, enquanto mediadores no conflito, muito embora tenhamos visto, às vezes, ocorrer o contrário, o parente chega e ateia mais fogo no conflito.

Concluímos que existe uma receita infalível para destruir os filhos após a separação.

Na vã esperança de azucrinar o outro após a desavença, basta usar os filhos como "bucha de canhão", e você verá o "tiro sair pela culatra", e depois será difícil reparar o mal provocado.

Bom, se existe uma receita para destruir os filhos após uma separação conturbada, é bem verdade que existem antídotos para esse desastre. Para tanto, há um conjunto de coisas a serem evitadas, para que você não abuse da lealdade que seus filhos têm para com você.

Filhos não são agentes da CIA, e não são treinados para espionar. Quando são obrigados a fazer isso, passam a mentir muito, tanto para você quanto para quem está sendo espionado, o que deixa a criança propensa à desonestidade, pois vê na mentira a única maneira de diminuir o impacto do conflito entre os pais.

É por isso também que o filho não deve ser "garoto de recado". Se você já foi bloqueado do *WhatsApp* e tudo mais, não use a criança como "correio do inferno", ou a force a pedir coisas que você sabe que serão negadas, na tentativa de destruir a imagem do outro para a criança. Repitimos e insistimos, somente os filhos é que são destruídos nesse processo.

Tentar prejudicar a imagem da mãe ou do pai também é a maior roubada. Frases clássicas como: "seu pai é um cafajeste", "sua mãe é uma bruxa", têm um efeito extremamente nocivo para os filhos.

Para aquele que cuida (na maior parte das vezes, a mãe), não se preocupe se o outro só chega para passear e levar ao shopping e às férias. Os filhos, mesmo pequenos, terminam por saber quem realmente cuida e zela, por isso não cometa o erro clássico de ver quem agrada mais, tentando comprar seu filho, pois isso irá corromper a criança ou o adolescente que ficará interesseiro e sempre querendo algo em troca.

Seja você o que age com lucidez, mesmo que seu filho ou filha diga que somente o outro é que é legal.

Você não é office-boy de filho, nem gênio da lâmpada realizador de desejos. Você é um educador de alma e isso leva tempo, é desgastante, mas o resultado é esplendoroso.

Não tenha medo de perder seus filhos. Quando o outro chamar para alguma atividade, não concorra criando situações para que a criança queira ficar com você. Sabotar a relação do filho com aquele que se foi será destrutivo e irá fragilizar muito o ego dele ou dela, o que trará a você muita dor e angústia no futuro.

Enfim, esperamos sinceramente que seu amor por seus filhos seja maior que o ódio que você tem de seu (sua) ex, pois só assim o amor triunfará sobre o ressentimento. Mesmo com o clima de conflito e ódio que tenha ficado entre o casal, ambos ainda têm objetivos comuns e desejam o melhor para os filhos.

Sabemos bem que muitos pais enfrentam um amargo relacionamento com seu ex-parceiro(a), especialmente quando simplesmente abandonam a vida dos filhos e constroem outra família sobre os escombros do que deixou para trás. Em casos assim, o prejuízo para os filhos será duplo, pois envolve também a perda emocional e a perda financeira daquele ou daquela que abandonou "o barco".

Ainda assim, nesses casos de abandono, deixe que o tempo mostre isso, pois segundo o valor da frase atribuída a Galileu Galilei: "A verdade é filha do tempo, e não da autoridade". Exceção que deve ser feita em casos de espancamento da criança e abuso sexual.

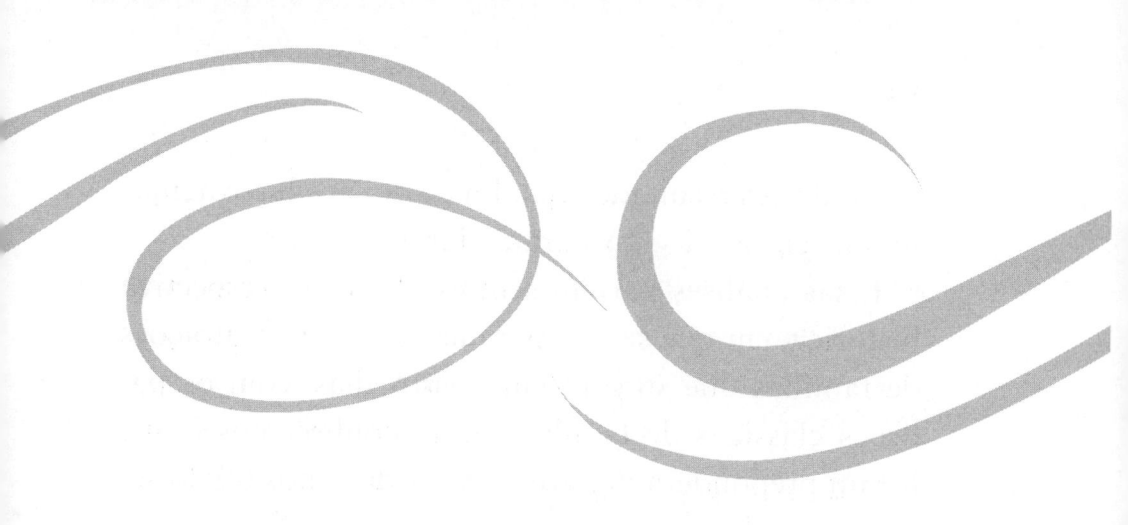

11.
As novas configurações de família: toda mudança é bem-vinda?

Ao longo das duas últimas décadas, vários pesquisadores debruçaram-se para tentar entender o impacto das mudanças nas estruturas familiares e sua repercussão sobre o bem-estar dos filhos. Os resultados dessas pesquisas acumularam um conjunto de evidências de que crianças criadas em diferentes contextos familiares apresentam diferentes respostas em uma ampla gama de domínios de desenvolvimento psicoemocional.

Por trás desses padrões de associações entre contextos familiares e como eles impactam na vida dos filhos reside uma complexa rede de influências que se sobrepõem e interagem, o que significa que a interpretação desses resultados está longe de ser objetiva, mas muitas coisas já se tornaram claras.

Essas análises partem sempre de uma perspectiva histórica, em que se compara as várias configurações de famílias que surgem em nossos dias, com os padrões clássicos de família que já conhecemos e que foram preponderantes até meados dos anos 60 do século passado.

Então, vamos entender como esse processo histórico acontece. Toda vez que eu tenho um modelo que passa a ser questionado, seja na ciência, modo de comportamento, conduta ou mesmo de família, estamos diante de um movimento dialético. Permitam aqui dois parágrafos concisos, a fim de tornar mais compreensível o que vem a ser dialética.

O conceito de dialética pode, muitas vezes, parecer complicado, mas não é difícil de ser entendido. A teoria dialética descreve e explica o desenvolvimento de sistemas que existem no mundo, sendo assim uma ferramenta conceitual para entender a sociedade.

Mas, então, o que é uma sociedade?

Na visão de grande parte dos sociólogos, ela é concebida como um sistema, numa complexa teia de causas e efeitos, que estão o tempo todo interagindo entre si e se modificando mutuamente. Se, por exemplo, aumenta o consumo de veículos no Brasil, as cidades ficam mais poluídas, os acidentes aumentam, crescem os custos da saúde exigindo políticas que privilegiem o transporte público, demandando obras caras de infraestrutura, obras que os políticos ou não fazem por não dar visibilidade, ou usam para superfaturar, aumentando as demandas judiciais, que o diga a operação Lava Jato, e por aí vai.

Na visão da dialética, dentro da própria sociedade encontra-se a causa das crises e a solução das mesmas, ou seja, em todos os setores da sociedade encontram-se tensões e pressões, que alguns veem como contradições sociais, e que são a causa das mudanças. É um processo ininterrupto, responsável pelo progresso social, de tal modo que quando nova condição finalmente se estabelece, iniciam-se novas tensões e pressões que culminam em novas mudanças.

Existe uma tríade clássica que explica a mudança segundo a visão dialética do mundo, sendo elas: tese, antítese, síntese.

Como essa tríade atua? Vejamos, temos um dado modelo anterior que chamamos de tese, então vem uma crise e uma pressão crescente contra esse modelo, que chamamos de antítese. Como resultado da interação dinâmica e sistêmica da tese e da antítese surge nova condição social ou novo paradigma do saber, ou seja, uma síntese, para a qual a tese original e a antítese, que surgiu a partir dela, interagiram até o ponto de se mesclarem.

Tudo bem, vamos agora ver como isso se aplica às mudanças familiares. A família anterior aos anos 60, vamos chamar de família tese. Uma família com pouco diálogo entre pais e filhos, extremamente patriarcal e rígida, com a posição submissa da mulher. Esse modelo de família passa a ser questionado e desconstruído a partir dos anos 60 do século passado. Movimentos pelos direitos da mulher, direitos humanos e outros enxergam esse modelo de família como insuficiente e incompatível com o mundo que estava sendo forjado naqueles anos do *Beatles* e do *Rock and Roll*. Por sua vez, novos modelos e configurações de família são apresentados como alternativas para substituir o modelo em declínio, ou seja, a antítese, que muitas vezes termina por ser o total oposto do modelo questionado. Aí temos o velho *pêndulo histórico*, antes de chegar à tão desejada síntese. E o que seria isso?

Na visão dialética, vemos que a história é cíclica e a essa macroexplicação da história acrescenta-se outra, o pêndulo histórico. A vida muitas vezes oscila até chegar a um "ponto de inflexão", e depois muda de curso e oscila na outra direção.

A respeito da metáfora do movimento pendular, nós temos a família tradicional e as novas configurações familiares. O pêndulo é a oscilação entre o afastamento ou a aproximação entre esses modelos.

Inicialmente, o modelo é questionado, mas esse questionamento pode chegar a um ponto tal que propõe a destruição total do modelo anterior. Mas, isso tem consequências. Afinal, no caso em análise, a família tradicional tem muitos defeitos, mas também tem virtudes, pois acredito que alguns de vocês que estão lendo esse livro foram criados nesse modelo, e certamente conquistaram muito na vida a partir dele.

Quando o questionamento ao modelo antigo é demasiadamente destrutivo, extingue-se o que era ruim, mas também o que era bom no modelo anterior.

Quando isso ocorre, jogamos tudo na lata do lixo, lembrando a expressão idiomática inglesa, *Don't throw the baby out with the bath water* (Não jogue fora o bebê junto com a água do banho), ou seja, é como se você pegasse um menino e fosse dar o banho numa banheira. Como a água ficou muito suja, você resolve jogar a água fora, mas na ânsia por limpar tudo, você termina jogando o menino junto com a água, é mais ou menos assim.

Nesse caso, aquela família patriarcal, rígida, machista, sem diálogo, de fato precisava passar por mudanças. Mas, naquela família também havia ordem e respeito, que precisam permanecer nas famílias atuais. Ao questionar e fugir totalmente da família tradicional, da tese para antítese, abrimos mão do que funcionava nas famílias do passado, e que agora para muitos está perdido.

O que devemos fazer? Voltar ao modelo anterior de família?

Na verdade, chegamos a um ponto de inflexão tal que não temos como voltar, mas devemos recuperar o que, lá detrás, garantiu-nos ganhos e aprendizado. O respeito e a disciplina estão fazendo bastante falta em muitas famílias hoje.

Em realidade, estamos no olho do furacão da crise do novo modelo, que questionou totalmente a família tradicional. As novas famílias têm mais diálogo, menos hierarquia, mais igualdade de gênero; no entanto, muitos pais perderam completamente o respeito dos filhos, com consequências nefastas para a sociedade, para as famílias e para os próprios filhos.

Mas, respondendo à pergunta que abre esse capítulo: toda mudança é bem-vinda? Sim, as mudanças são sempre bem-vindas, mas elas devem respeitar as conquistas que foram feitas até aquele ponto e a partir dali avançar para novo patamar. Por isso mesmo, a busca agora é pela síntese. Devemos buscar aglutinar o que há de melhor nas famílias de antigamente, tais como respeito e disciplina, aliadas às conquistas fantásticas das famílias de nossos dias, diálogo entre pais e filhos, igualdade de gênero, dentre outras.

Assim, teremos não somente a família do passado, que podemos chamar de família QUARTEL, com pontos positivos já ressaltados, mas com defeitos que não são mais toleráveis; nem apenas a família de hoje, que podemos chamar de família HOTEL, caracterizada por filhos que parecem hóspedes exigentes e irritados, que não dão satisfação para onde vão e onde estão, fazendo *Check-In* e *Check-Out* quando bem entendem e que chegam somente exigindo, dando chiliques quando são contrariados. Precisamos urgentemente construir a família LAR.

Uma família LAR constitui-se de um grupo em que os indivíduos se reúnem comprometidos com as dinâmicas e as necessidades uns dos outros. Desse modo, todos nós nascemos e crescemos em famílias, nas quais compartilhamos afeições, visão de mundo, mas também é inegável compartilhamos seus conflitos e dificuldades.

Por isso, objetivando alcançar o equilíbrio no campo afetivo, os membros da família LAR devem contribuir nessa rica constelação de seres unidos pelo amor, pois as necessidades de segurança, afeto e autoridade de um indivíduo sempre existirão e serão a base para o desenvolvimento de toda e qualquer característica do ser humano.

Desse modo, no contexto da família LAR, essas necessidades devem ser atendidas por todos, seguindo uma hierarquia amorosa, que leva em conta o papel que cada um assume nas configurações familiares a que pertence.

12.
A educação dos filhos em outras configurações de família

Não há mais como negar que em nossos dias e em diversas culturas as trajetórias familiares tornaram-se cada vez mais distintas, levando-nos para longe da clássica compreensão do desenvolvimento da criança dentro da unidade familiar que conhecíamos até então, e que se convencionou chamar de família tradicional, antes predominante em nossa sociedade. Por isso mesmo, ela sempre foi utilizada por parâmetro para compreendermos como ocorria o desenvolvimento infantil em estruturas familiares diferentes do modelo tradicional, com todos os erros, limitações e preconceitos que vinham dessa comparação.

Concomitantemente a esse fato, hoje temos uma profunda dificuldade em conceituar o que vem a ser família, de tal modo que, compreender os fatores que promovem o desenvolvimento positivo da criança tem se tornado uma tarefa cada vez mais complexa e, ao mesmo tempo, surpreendente.

Nas duas últimas décadas, houve um significativo aumento do número de famílias que resultam das profundas mudanças sociais e demográficas. As configurações familiares são variadas: as monoparentais (na qual só há a mãe ou o pai, bem como outro cuidador, como avós); as famílias prematuras, formadas sem planejamento e sem estrutura financeira, comuns em casos de gravidez na pré-adolescência e adolescência; famílias com filhos adotivos, e, também, famílias de pais do mesmo sexo.

A complexidade dessas estruturas leva-nos necessariamente à busca de estudos e pesquisas que auxiliem a compreender como as mães, os pais e os demais que cumprem o papel de cuidadores na família influenciam positiva ou negativamente o desenvolvimento infantil dentro desses diversos contextos familiares.

A ideia que tínhamos, anteriormente, era a de que somente as famílias tradicionais seriam capazes de dotar as crianças e adolescentes do que elas precisam para o desenvolvimento saudável.

Essa visão perdurou por muito tempo, até que diversas evidências, juntamente com uma série de pesquisas recentes, começaram a questionar essa crença. Não se quer com isso dizer que a família tradicional não seja eficiente, apenas que outros modelos também podem oferecer o que a criança precisa para alcançar o seu desenvolvimento pleno.

Outra crença que está sendo questionada é a que afirmava que sem o vínculo e carinho inicial a criança fica comprometida em seu desenvolvimento para o resto da vida. No entanto, pesquisas recentes desafiam essa noção, afirmando que os esquemas mentais das crianças são flexíveis e têm a capacidade de se adaptar a novos ambientes, ou seja, existe uma resiliência muito grande nas crianças que lhes permite superar muitas das dificuldades iniciais.

Um exemplo disso vem de estudos que demonstram a capacidade adaptativa de crianças adotadas. Esses estudos revelam que crianças que ficaram inicialmente em abrigos e orfanatos, apesar de sua falta prévia de relacionamentos e de apego estáveis, foram capazes de formar vínculos após serem adotadas. Os resultados dessas pesquisas são tão fantásticos que renderiam um livro inteiro só para demonstrá-los.

Resumidamente, essas pesquisas concluem o quanto notável é a resiliência no desenvolvimento dessas crianças e que os efeitos da privação institucional (ter vivido em orfanato no início da vida), não são de modo algum fixos e irreversíveis, permitindo que muitas se desenvolvam normalmente em termos de bem-estar psicológico, emocional e social, após terem sofrido abuso e abandono.

Essas pesquisas são um alento e um incentivo a quem teme a adoção, por imaginar que essas crianças estejam marcadas por traumas e abandono que as deixarão incapazes de se vincular a uma nova família, dificultando a vida dos pais adotivos. As evidências mostram o contrário, comprovam que as experiências precárias precoces não prejudicam irreversivelmente o ajuste social e emocional como se acreditava, ou seja, que finalmente quando a criança encontra alguém que ofereça cuidados e amor, ela ativa seus recursos internos, sua resiliência, para dar uma resposta positiva à vida.

Um ambiente de cuidados positivos com afeto, educação e respeito, tem a capacidade de reverter muitos processos. É claro que, quanto mais cedo a criança for adotada, mais resultados poderão ser alcançados, pois não podemos romantizar e negar que uma institucionalização demorada da criança dificulta a capacidade de formar vínculos afetivos, de tal modo que nem sempre a adoção poderá reverter totalmente os prejuízos no desenvolvimento da criança.

Bom, se é assim, em caso de crianças que foram abandonadas e iniciaram a sua vida em instituições, o que dizer de crianças educadas apenas por um dos pais ou por casais homoafetivos? Claro que elas terão todas as chances de se desenvolver plena e saudavelmente!

No caso da separação em que um dos pais deixa de conviver, o outro, em sua maioria a mãe, assume heroicamente a tarefa e consegue dotar a criança de condições para o seu desenvolvimento. Tema esse já abordado, em que vimos que crianças, com ambiente e cuidados adequados e estáveis, vão prosperar.

Vimos, também, que a qualidade do ambiente familiar, incluindo a relação entre os pais, vivendo no mesmo lar ou compartilhando a parentalidade após a separação (a coparentalidade), é um fator chave para o ajuste saudável no desenvolvimento e bem-estar das crianças.

Um ambiente estável e acolhedor, onde o amor seja a tônica das relações, tem a capacidade impressionante de minimizar os efeitos nocivos comuns em processos de divórcios familiares e quaisquer experiências prejudiciais, bem como outros eventos que possam ter afetado a criança em suas fases iniciais da vida.

Já em relação a filhos educados em lares homoafetivos, vemos que, por diversos motivos e muito preconceito, a noção inicial era a de que uma criança não se desenvolveria saudavelmente quando criada por pais do mesmo sexo.

Por isso mesmo, nas últimas três décadas a comunidade científica tem se debruçado para entender se a educação em famílias gays afeta o desenvolvimento e a saúde mental das crianças.

Um estudo com uma amostra de 500 crianças, desenvolvido pela Universidade de Melborne, na Austrália em 2012[11], iniciou a desconstrução da falsa ideia de que haveria comprometimento mental em crianças educadas por pais do mesmo sexo. Nesse estudo, os pesquisadores descobriram que as crianças criadas por pais gays ou lésbicas têm os mesmos recursos que outras crianças para construir seu bem-estar e para regular o funcionamento dos relacionamentos entre seus amigos. Além disso, os pesquisadores não encontraram diferenças em relação a sintomas de depressão, ansiedade e autoestima em comparação com filhos de pais heterossexuais, isto é, esse e muitos outros estudos têm demonstrado que a orientação sexual dos pais de uma criança não afeta seu desenvolvimento, mas que, como já foi afirmado e reafirmamos aqui, é a qualidade da relação dos pais (héteros ou não), que realmente contribui ou não para a sua saúde mental. Dessa forma, se os pais LGBT proporcionarem um

---

11 Robert CROUCH; Elizabeth WATERS, Ruth MCNAIR; Jennifer POWER; ACHESS – *The Australian study of child health in same-sex families*: background research, design and methodology. BMC Public Health, London, 2012. Acessado em https://bmcpublichealth.biomedcentral.com/articles/10.1186/1471-2458-12-646

ambiente favorável e saudável para seus filhos, eles irão se desenvolver plenamente.

Todavia, embora reconheça que as crianças criadas em famílias LGBT sejam tão bem ajustadas quanto as crianças vindas de famílias heterossexuais, faz-se necessário reverberar um alerta feito pela Academia Americana de Psiquiatria da Criança e do Adolescente (*The American Academy of Child & Adolescent Psychiatry* – AACAP), quando chama atenção para o fato de que filhos de casais homoafetivos podem enfrentar discriminação. Para ajudar essas famílias a AACAP faz algumas sugestões de como pais podem auxiliar os filhos a lidar com essas situações.

Primeiramente, a AACAP sugere que os filhos devam ser preparados para lidar com o preconceito, não se pode fazer de conta que ele não existe e que não chegará até a criança. Levando em consideração a idade e a maturidade do filho, os pais devem manter um diálogo franco e aberto com os mesmos. Além disso, os pais devem pensar em conjunto com os filhos as respostas mais apropriadas para comentários e provocações de outras pessoas.

Para a criança se sentir pertencente à sociedade e com direito à igualdade de tratamento, é muito útil que a família ofereça a ela livros, sites, séries e filmes que mostrem outras crianças em famílias LGBT e, de preferência, que conviva com outras famílias com pais gays.

Mas, não podemos deixar de citar, entre tantas pesquisas na área, a que trouxe contribuição definitiva sobre a temática do ajuste da criança, feita pelo psicólogo Michael Lamb[12], citada em capítulo anterior.

O professor Michael Lamb está entre os maiores especialistas mundiais em desenvolvimento infantil. Sua experiência como chefe da Seção de Desenvolvimento Social e Emocional do Instituto Nacional de Saúde Infantil e Desenvolvimento Humano dos Estados Unidos (*National Institute of Child Health and Human Development*) por 17 anos, bem como sua robusta produção científica o credenciam nesse tema.

Ele foi um dos primeiros a mostrar de forma irrefutável que os pais, assim também as mães, são importantes para o desenvolvimento da criança, demonstrando a relação da estrutura familiar com o resultado do desenvolvimento infantil. Esse resultado inicialmente fortaleceu o discurso das chamadas famílias tradicionais, e alguns grupos mais fanáticos acharam que estavam munidos de argumentos para sua campanha que visa patologizar as mulheres que criam filhos sem a presença do pai.

---

12 Michael E. LAMB, *Mothers, Fathers, Families, and Circumstances*: Factors Affecting Children's Adjustment. Applied Developmental Science. Volume 16, 2012 - Issue 2. Pages 98-111 Published online: 23 Apr 2012.

Todavia, o que a pesquisa demonstrou é que, quando os pais estão juntos, e o pai não é alienado da educação do filho, ele ocupa um lugar de importância, ou seja, o desenvolvimento da criança não é fruto apenas da relação com a mãe. Porém, a pesquisa em nenhum momento afirmou ou concluiu que, somente com a presença do pai e da mãe a criança se desenvolveria saudavelmente. O trabalho do professor Lamb versa sobre a qualidade das relações e recursos disponíveis, não sobre sexo ou orientação sexual dos pais, como responsáveis pelo bem-estar das crianças.

No mesmo artigo intitulado: *Mães, Pais, Famílias e Circunstâncias: Fatores que afetam o ajuste das crianças (Mothers, Fathers, Families, and Circumstances: Factors Affecting Children's Adjustment*, 2012), ele apresenta um vigoroso resumo de muitas centenas de estudos nas últimas quatro décadas elucidando fatores que contribuem para o ajustamento das crianças.

Em resumo, todos esses estudos chegam a um consenso acerca dos fatores que realmente são importantes para o desenvolvimento saudável da criança, dividido em dois grupos, o afetivo e o material, quais sejam: a qualidade dos relacionamentos com os seus pais, bem como a qualidade das relações entre os pais e outros adultos significativos. Materialmente falando, os pesquisadores ressaltam a necessidade e a disponibilidade de recursos econômicos, sociais e físicos adequados.

A estrutura familiar por si mesma elucida muito pouco sobre inúmeras diferenças nos resultados do desenvolvimento das crianças.

E, embora as crianças pertencentes a famílias monoparentais apresentem maiores problemas de adaptação do que crianças em famílias biparentais, a causa primária não é configuração da família em si, mas as relações disfuncionais com um ou ambos os pais.

A perda significativa de padrão de vida, nos casos em que apenas um dos pais trabalhava, e conflitos em torno da separação dos pais são fatores decisivos nessa equação. Para deixar bem claro que não é a configuração da família o fator crucial no desenvolvimento infantil, ele afirma: "O mero fato de que a maioria das crianças criadas em famílias monoparentais ou divorciadas estão bem ajustadas, enfraquece o argumento de que as crianças precisam ser criadas em famílias tradicionais". A coparentalidade da qual já falamos colabora com isso.

O impacto da maternidade e paternidade de mesmo gênero tem destruído muitos dos estereótipos negativos sobre parentalidade entre casais homoafetivos, pois, como vimos, as crianças com pais do mesmo sexo não são diferentes das crianças com pais heterossexuais no que diz respeito ao seu ajustamento psicológico, bem como ao desenvolvimento psicossexual.

Além disso, vivem vidas familiares muito semelhantes às vivenciadas por crianças em famílias heterossexuais. E, claro, como ocorre nas famílias heterossexuais, a qualidade da relação do casal é a condição essencial para um desenvolvimento pleno da criança, de tal modo que continua tendo imensa importância o equilíbrio na vida dos parceiros e a harmonia familiar, como condição primordial de qualidade na vida da criança.

Vale ressaltar que essas descobertas, ao quebrarem tabus e preconceitos, não objetivam diminuir ou menosprezar o papel da chamada família tradicional, como muitos pensam, mas demonstram que diferentes papéis de gênero também conseguem prover a criança do que ela necessita para uma vida saudável, uma vez que essas pesquisas evidenciam de forma irrefutável, especialmente o trabalho de Baxter (2011)[13], que a qualidade do ambiente doméstico, bem como o papel eficaz daqueles ou daquele que cuida (pais héteros, adotivos, monoparentais, homoafetivos, avós, tias), são os maiores responsáveis pelo desenvolvimento positivo da criança, sendo, desse modo, mais importante do que o tipo de estrutura familiar na qual as crianças estão inseridas.

---

13 Baxter J. WESTON, R., and Qu, L. (2011) *Family structure, co--parental relationship quality, post-separation paternal involvement and children's emotional wellbeing*, Journal of Family Studies, 17(2): 86-109.

Mais uma vez essas pesquisas levam-nos a concluir que toda sorte de preconceito e discriminação são frutos da ignorância, e que geram muita dor e angústia naqueles que são vítimas, prejudicando as famílias homoafetivas e monoparentais, mas sobretudo, sendo cruéis com as crianças.

13
Minha filha é educada, e daí? O que faço agora?

Enquanto escrevia esse livro, uma mãe que acompanha meu canal no *YouTube* me enviou um e-mail sensacional. A altivez na primeira frase já indicava que era uma mãe preocupada com sua filha, e que dava uma educação consistente.

Tenho a pretensão de ser respondida, mas entenderei caso isso não ocorra, pois há bem pouco tempo fui apresentada aos seus trabalhos, acredito que um número bem maior de pessoas que já o conhecem ou conhecem o seu trabalho, há mais tempo, também tenham o mesmo desejo de terem suas perguntas respondidas!

Pois, bem... tenho uma filha de 14 anos, a Milena. Eu e meu marido temos ambos 38 anos. Meu marido é formado em Educação Física e atua com esportes em projetos sociais, eu atuo na área de Recursos Humanos. Nós estamos juntos há 25 anos, e com pretensão de permanecer pelo menos mais outro tanto desse, no mínimo.

Estamos colhendo muitos bons frutos da educação que tentamos passar para nossa filha, e isso se deve à educação que tivemos e do conhecimento que buscamos no dia a dia.

Entendemos que para o bem da 'educação curricular formal' dela, seria bom mantê-la em uma escola particular e temos feito isso ao longo desses anos com muito esforço financeiro.

Não é fácil encontrar nas escolas, principalmente nas particulares, apoio ou continuidade para essa educação que tentamos passar para nossa filha, muito menos um ambiente onde ela possa compartilhar os ensinamentos de casa, muitos daqueles que você menciona em seus diálogos e palestras.

Minha inquietação é sobre o que fazer com uma adolescente educada, respeitosa com os mais velhos, comprometida com os estudos, consciente sobre as questões sociais e do meio ambiente, que gosta de ler, entre outras qualidades, que todos os pais gostariam de ver em seus filhos.

Penso que as escolas não estejam preparadas para integrar alunos que são educados em casa.

Como inseri-la no meio escolar sem que ela se torne o patinho feio: é sempre uma das poucas ou quase a única que não curte programas de TV ridículos, balada alcoólica, pegação geral. Não compra o tênis que quer, na hora que quer. Não tem o último modelo de celular etc. (não estou falando em condição financeira, mas sim em interesses, entendimentos e negociações).

A escola não agrega, não estimula, não prega educação e respeito pelo próximo, não quer debater questões críticas em sala de aula, em resumo, minha filha está cada dia mais deslocada do ambiente escolar.

Como posso ajudar minha filha a não se desestimular com as escolas e com as pessoas da idade dela? Como posso ajudá-la a não se isolar dos grupos? Como prepará-la para esses desafios entre os colegas de sala?

Você teria algo para me ajudar, seja algum material profissional, conselho, sei lá, o que achar conveniente.

Muito Obrigada!

Satisfação em ser apresentada ao seu trabalho.

Patrícia Duarte

Mudei nomes e outros dados e pedi a permissão dela para usar o seu texto enviado por e-mail como abertura desse capítulo.

Para ser franco, às vezes, tenho a sensação de que as crianças e adolescentes bem-educados terminam sendo invisíveis. Vou explicar por que penso assim. Geralmente, essas crianças ou adolescentes são amáveis, muitas vezes são dotados de inteligência emocional e excelente desempenho escolar. São tão hábeis e gentis que, em meio a tantos outros alunos que estão dando trabalho na classe, ficam quietos e silenciosos e, por isso mesmo, são facilmente ignorados.

Os professores são heróis diários, realizando uma tarefa hercúlea, mas estão esgotados com muitas aulas em turmas imensas, de tal modo que têm dificuldade de conhecer o detalhe de cada criança e o foco termina sendo maior sobre aqueles que dão trabalho ou têm algum déficit.

Observe você que as reuniões de pais nas escolas focam, em sua maioria, os problemas dos alunos e como solucioná-los, mas não em suas virtudes e como ampliá-las.

Aliás, é bem verdade que esse sentimento de ser invisível acontece em muitas famílias também. Os pais "ignoram" o filho ou filha que está indo bem, para focar naqueles que dão trabalho, ou que nasceram com alguma limitação física ou cognitiva. Já atendi a muitos pacientes que tinham mágoas dos pais, por se sentirem excluídos, vendo toda a atenção drenada para o irmão trabalhoso.

Além disso, a cultura da autoestima exagerada tem criado o discurso de que toda criança e adolescente têm de ser capaz de se expressar, de se defender, de ocupar seu lugar e não deixar que os outros os reprimam. Mas, cada ser humano tem um jeito muito único de ser, de modo que em algumas crianças, mais do que em outras, essas habilidades precisam ser estimuladas, o que somente é possível em um ambiente onde elas se sintam seguras e percebidas, não negligenciadas e entregues à própria sorte, jogadas para a turma do fundão, daqueles alunos que terão, nessas crianças e adolescentes, as vítimas preferenciais de suas piadas e chacotas.

Esses alunos fazem o que chamo de "pacto da mediocridade". Como têm vários problemas, os quais começam em casa, têm seu rendimento escolar afetado. São indisciplinados e usam seu poder de liderança na turma para nivelar a classe por baixo.

Por isso, agridem de várias formas os alunos com bom desempenho (de comportamento e notas), para desestabilizá-los e desestimulá-los. A escola que ignora isso ou finge que não acontece é irresponsável.

Ambos os grupos de alunos, a turma do fundão e os de bom desempenho, merecem cuidado e atenção às suas necessidades específicas. Os primeiros disciplina e apoio emocional e escolar, os segundos estímulo e reconhecimento e, em muitos casos, proteção. Mas, os pais também precisam estar atentos e ajudar os filhos.

Como você provavelmente deve saber, o fato de ignorar o que está acontecendo com seu filho não ajuda, pois nem sempre ele terá recursos pessoais para, sozinho, resolver ou acabar com as "brincadeiras" e agressões que sofre.

Eles precisam que você assuma que existe algo errado e que uma solução deve ser alcançada que pode ser, no extremo, trocar de escola quando essa ignorar seus apelos e o que seu filho está passando.

O primeiro passo a ser dado é o de encorajar o filho a resolver, sozinho, a questão, dando a ele espaço para desenvolver suas próprias soluções. Nessa fase, conselhos e exemplos referentes ao modo que você lidou com situações na sua vida escolar são úteis.

Caso ele consiga resolver, que bom! Mas, nem sempre é possível. Assim, se ele não for bem-sucedido em resolver sozinho, deve contar imediatamente com seu apoio sereno. Busque os professores da escola como parceiros e não como inimigos a serem combatidos. Apenas em caso de omissão da escola e dos professores, uma transferência é recomendada, de preferência para uma escola da qual você já tenha colhido boas informações.

Mas, lembre-se, não finja que nada está acontecendo, não ignore você também o seu filho, dizendo coisas do tipo: "Isso passa", ou "Vai terminar tudo bem". Como você sabe, dizer a seu filho para não se preocupar não impedirá que ele seja vítima. Acredite, se ele pudesse resolver sozinho a situação, já o teria feito.

Nessa hora, tudo que queremos é que nossa queixa encontre eco no coração dos pais, que eles nos digam: "Eu entendo e acredito que você esteja passando por isso, nós vamos enfrentar e resolver isso, juntos". Só assim ele se sentirá num ambiente capaz de protegê-lo.

Não fragilize seu filho ao tentar ajudá-lo. Muitos pais, sem perceber ou por ignorância, fazem isso. Por exemplo, evitar todas as situações que causam dor e desconforto aos filhos é uma tendência dos pais, e é compreensível que ajam assim, mas infelizmente, em longo prazo, evitar essas situações apenas piora e fragiliza, pois um dia eles não terão você para enfrentar.

Crianças educadas, estudiosas e brilhantes passam por isso mais do que imaginamos. De um modo geral, e isso vale para todas as crianças e adolescentes. Preste muita atenção ao que eles podem passar no dia a dia das escolas, por isso um conselho: Não espere até que eles estejam mal para só assim verificar o que está acontecendo com eles na rotina escolar. Como tudo na vida, quanto mais cedo identificarmos o problema, mais eficaz e rápida será a solução.

E lembre-se, se eles não tiverem apoio, terão seu brilho e competência minados, sua autoestima afetada e, consequentemente, perderão o interesse pela escola.

Temos perdido muitos talentos por abandonarmos essas crianças e adolescentes brilhantes à própria sorte. Não os estimular é uma perda para eles e para toda sociedade. Num mundo carente de bons exemplos, igual ao nosso, não podemos deixar tanto brilho e potencial serem desperdiçados. Por isso, cuide e estimule seus filhos para que eles não desanimem e não desistam.

Mostre para eles que as angústias de hoje passarão e que, em longo prazo, eles serão pessoas felizes e realizadas. Fale e veja com eles a história de tantas pessoas que foram menosprezadas na escola, mas que resistiram e se tornaram pessoas brilhantes na arte, nas ciências, no esporte e na cultura, de um modo geral.

Conecte seus filhos com outras crianças e adolescentes que sejam semelhantes a eles, mesmo que estejam em outras escolas ou em outros ambientes.

Finalmente, e o mais importante: você pode não encontrar ou não ter condições de colocar seus filhos numa escola que atenda às necessidades deles.

Os seus amigos de condomínio, do clube, da igreja, ou até mesmo seus primos e demais conhecidos também podem ser bons exemplos a ser seguidos.

É exatamente aí que os pais devem ser o último e o mais precioso recurso para que os filhos não desistam.

Como você já sabe de cor, a maioria dos valores que você deseja cultivar nos seus filhos só encontrará eco quando eles virem esses valores em você.

Então, mostre que você também enfrenta no dia a dia, no trabalho, pressão enorme de várias pessoas para se tornar alguém desonesto, antiético.

Que toda essa crise ética no país é resultado de pessoas que abriram mão ou que nunca tiveram esses valores, ao contrário de você que "rala duro" e honestamente todos os dias, e que se orgulha de ser assim, mesmo quando te chamam de otário.

Não custa lembrar que nunca funcionou, nem vai funcionar o ditado: "Faça o que eu digo, mas não faça o que eu faço". "Pois só o exemplo é realmente capaz de inspirar as pessoas".

Por isso, você pode elaborar o melhor discurso sobre motivação, comprar todos os livros acerca de superação, incentivar seus filhos a ler a biografia de pessoas de sucesso, mas eles somente entenderão o que significa persistência quando enxergarem na sua luta, no seu exemplo e no seu testemunho, a força que isso tem.

Conclusão

Agradeço muito a você que caminhou comigo nessas histórias, pesquisas e tão relevantes discussões sobre a desafiadora tarefa de educar almas.

Às vezes, fui duro, às vezes, divertido, é meu jeito pessoal de ser. Talvez você já tenha assistido a algum vídeo ou palestra minha e tenha percebido isso. Por essa razão, procuro fazer o máximo possível para imprimir meu estilo naquilo que escrevo.

Então, preciso dizer ainda algumas coisas.

Inicialmente, quero deixar bem claro que não estou esgotando o tema. E não esgoto por vários motivos, primeiro dificilmente ousaria me arvorar de ser uma autoridade nesse campo. Além disso, por ser um tema que versa a respeito da família e da educação de filhos, nunca teremos uma palavra final, pois estamos sempre mudando, aprendendo, aglutinando e transformando nossas relações e a cultura humana.

Logo, também não pretendo ser o detentor da verdade, apenas e tão somente quis trazer até você o que sinto, o que vejo, o que vivencio e o que leio sobre essa questão.

Não usei os exemplos de minha vida pessoal, da educação que minha mãe me deu, com a pretensão de ser um modelo a ser seguido, mas apenas para aproveitar o poder que a experiência de nossa bagagem pessoal, construída ao longo da vida, nos confere. Toda experiência é sempre rica e única e por isso mesmo merece ser compartilhada.

Talvez você tenha se sentido culpado em alguns momentos e aliviado em outros, mas espero que o livro tenha "mexido" com você, tenha incomodado mesmo. Não quis tocar o intelecto, quis mesmo mexer com suas emoções. Por isso, sei que muito do que falei pode ter chocado em alguns momentos quando, por exemplo, questionei o excesso de liberdade e privacidade dos filhos.

Seria muito bom se todos os pais fossem equilibrados a ponto de saberem dosar ordem e disciplina com liberdade e respeito, mas não é o que acontece na maioria dos casos. Assim, pode parecer que esteja incentivando uma educação ditatorial quando interrogo sobre a privacidade dos filhos, a importância do limite, ou a necessidade de retomar esses valores que se perderam em muitas famílias, mas, tem um motivo.

Há mais de 15 anos atendo em consultório. Para além das discussões acadêmicas, vejo no dia a dia que, em matéria de educação de filhos, a omissão dos pais causa prejuízos muito maiores que a intromissão. Que o excesso de liberdade acarreta danos mais drásticos que a rígida disciplina.

Infelizmente, poucos conseguem um equilíbrio, pois quando se trata do controle exercido sobre os filhos, vemos que alguns pais são altamente restritivos, ao passo que outros são absurdamente permissivos. A maioria cai entre os dois extremos.

Mesmo assim, sei que a maioria dos pais procura sempre oferecer o melhor para os filhos, até quando erram na dose. Eles podem errar muito, mas sempre se sacrificam para que os filhos possam ter uma vida mais leve que a vida deles.

E para alcançar esse fim, a maioria dos pais fazem de tudo. Apelam até para a Supernanny e usam uma variedade de técnicas na educação dos filhos, que irão depender dos seus objetivos ou do comportamento apresentado pela criança que precisa ser corrigida ou estimulada. Além disso, adaptações constantes são sempre necessárias, pois o processo de educação infantil sofre mudanças importantes à medida que as crianças se desenvolvem.

Por isso, fica claro que os pais precisam entender o contexto no qual usam a disciplina, e com qual intensidade ela deve ser empregada, pois os resultados nem sempre são os esperados.

Isso ocorre porque a mesma atitude, por parte dos pais, pode gerar efeitos completamente diferentes nos filhos. É que cada criança cresce e se desenvolve de forma diferente, fazendo as coisas dentro do seu próprio ritmo, ainda que ao final elas cheguem a certos estágios da vida, aproximadamente, no mesmo tempo.

Um exemplo disso é o fato de muitos pais, que usaram a rigidez para educar, perceberem que as reações a esse modelo foram completamente diferentes. Enquanto essa rigidez produziu em algumas crianças medo e angústia, e noutras gerou raiva e indignação, outras, com essa mesma educação rígida, tornaram-se maduras e estáveis.

Então, não se trata da rigidez ou da solicitude dos pais, mas de como eles agem em cada situação específica. Contudo, um dado chama atenção: o uso indiscriminado de autoridade tem efeitos menos eficazes do que o uso da mesma autoridade baseada em regras claras, explicadas e discutidas com os filhos.

Vimos que as impressionantes mudanças ocorridas na vida familiar nas últimas décadas estão deixando as famílias no limite, pois são constantemente desafiadas pelas novas exigências de nosso mundo.

Muitas dessas mudanças são extremamente benéficas, outras nem tanto. Um exemplo simples disso é que o tempo da família em atividades compartilhadas, como a refeição diária, assistir ao mesmo programa de TV, caminhar juntos, entre outras coisas, foi comprometido devido às demandas de trabalho, ocupações mil que aumentam as atividades individuais e distanciam os seres humanos uns dos outros.

Ainda assim, as pessoas querem viver a fantástica e desafiadora experiência de ser pais, e fazem tudo para alcançar esse objetivo. Quando não conseguem engravidar, vão aos médicos, fazem fertilização, adotam, mas buscam transmitir, não só seu código genético às gerações seguintes, mas suas experiências, suas histórias e seu amor.

Então, vivem uma relação tão intensa com seus filhos, que as dores que eles sentem pesarão mais nos próprios pais.

Apesar de toda essa doação e intensidade, é preciso lembrar que em muitas ocasiões não saberemos o que dizer ou como os filhos devem agir. Nessas horas, o melhor que podemos fazer é dar um grande abraço e reafirmar nosso amor, pois quando não há espaço para palavras, sobra espaço para o afeto.

Às vezes, educar dá tanto trabalho que pensamos mesmo em desistir. Tem horas que nada dá certo, que não vemos resultados, só teimosia e birra, então, pensamos que não há muito o que ser feito e que estamos diante de uma geração perdida.

No anos 80, eu me lembro de estar assistindo ao clip *Thriller*, de Michael Jackson, quando meu avô materno entrou na sala e vendo os zumbis, precursores de *The Walking Dead*, dançando num cemitério, olhou para mim e disse:

— Esta geração está perdida!

Pois é, isso não aconteceu. Não me perdi, e devo muito ao meu avô por isso, pois, como vocês viram ao longo desse livro, ele foi muito importante na minha vida.

A nossa geração conseguiu ocupar seu lugar no mundo, pois na verdade todas as gerações conseguem dar uma resposta à vida. Mas, até chegar a esse ponto, de construir sua própria trajetória, essa geração necessita da tutela da geração anterior, dos pais. Esses se responsabilizam por fazer escolhas, direcionar, estabelecer limites, até que a nova geração tenha maturidade para seguir a própria trajetória. Eis o ciclo da vida, no qual os pais desejam deixar para os filhos um legado que os torne pessoas felizes e de sucesso.

O filósofo Ralph Waldo Emerson definiu poeticamente o sucesso sendo a capacidade de "rir muito e com frequência; ganhar o respeito de pessoas inteligentes e o afeto das crianças; merecer a consideração de críticos honestos e suportar a traição de falsos amigos; apreciar a beleza, encontrar o melhor nos outros; deixar o mundo um pouco melhor, seja por uma saudável criança, um canteiro de jardim ou uma redimida condição social; saber que ao menos uma vida respirou mais fácil porque você viveu. Isto é ter sucesso."

Bem, eu penso que é isso o que os pais querem para os filhos. Penso também que era o que os meus pais gostariam que eu sentisse e fizesse: desenvolvesse essas capacidades e visse o belo, o melhor dos outros, mas, sobretudo, vivesse uma vida que, de algum modo, contribuísse para outras vidas, para um mundo melhor.

Sinceramente, gostaria muito que você sentisse isso ao final deste livro: que recebeu algo que pode auxiliar em sua vida e na vida de sua família. Entender que ter filhos, além de gratificante, exige esforço e compromisso ao longo da vida. Porquanto, não enxergar isso tem sido o pesadelo de muitos pais e da sociedade como um todo, pois como nos lembra o *Rei Lear*, personagem de William Shakespeare "é uma grande praga dos tempos quando os loucos guiam os cegos."

Concluo esse livro esclarecendo algo que acho necessário. Eu ainda não sou pai. Não porque não quero. Na verdade, eu e minha esposa estamos, há mais de cinco anos, fazendo tudo para realizar esse sonho. Depois de muitas esperanças e frustrações, sei de duas coisas: vou persistir até alcançar esse objetivo e sinto que está cada vez mais perto.

Se você achar que esse fato me desautoriza completamente a falar sobre educação de filhos, eu vou compreender e respeitar sua decisão. Mas, sou psicoterapeuta e há mais de 15 anos ouço a angústia de pais e filhos sobre esse relacionamento, vendo o que deu certo ou não no reflexo dos adultos que atendo. Também sou filho, e disso entendo bem. Por analogia, sei algumas coisas preciosas do que é ser pai, ser mãe.

Portanto, é do lugar de filho, de terapeuta e pai-em-construção que dialoguei com você sobre o papel dos pais.

Foi por isso, que ao final do livro meu coração foi tocado a escrever uma carta, na verdade uma declaração de amor ao filho que virá, e que já encontra em meu coração todo amor e desejo de sua presença em minha vida.

Embora ainda não seja uma realidade concreta, em meu coração e mente esse filho já está sendo gerado. Em breve, tenho certeza, terei a alegria de tê-lo em meus braços.

Estou usando a palavra filho no singular, mas a verdade é que eu e minha esposa desejamos muito ter três filhos. Estou empregando a palavra filho e não filha, não por preferência de gênero, pois o amor não tem endereço. Feitas essas ressalvas, vamos lá.

Carta ao filho que está chegando

Meu filho, não vejo a hora de poder pronunciar com todas as letras a palavra... filho.

Não vejo a hora de experimentar em mim, como muitos me dizem ser, a maior sensação de amor que alguém pode sentir, a de ser pai. Não vejo a hora de ver a minha vida, deliciosamente dividida antes e depois de você. Que essa divisão seja grandiosa a ponto de eu perceber que toda a alegria sentida antes de sua chegada foi um ensaio do que viria a ser a verdadeira sensação de felicidade.

Eu quero ouvir grito, choro de manha e perder o sono, e depois trocar fraldas feito um zumbi, de tanta sonolência. Trabalhar exausto, implorando para entrar no programa de governo 'minha cama, minha vida'. Limpar cocô, xixi, golfada, vômito e depois de tudo isso ser comprado por um sorriso seu.

Filho, você acredita que tem pessoas que me dizem para pensar duas vezes antes de ser pai? Alertam que é muito trabalhoso! Essas pessoas apresentam vários motivos para não ter filhos, dizendo que crianças custam caro, tiram-nos o tempo e a liberdade, coisas que eu e sua mãe gostamos de ter. Entretanto, fique tranquilo, eu e sua mãe vemos que perdermos parte disso é muito pouco para termos tudo isso que será você em nossas vidas.

Eu não vejo a hora de encher o saco de todo mundo contando repetidamente suas histórias. Ficar bobo com suas primeiras palavras e acabar a memória do meu celular com fotos e filmes de cada passo seu.

Tem algumas coisas que eu gostaria, mas não se sinta obrigado a isso, ok?! Eu gostaria que você torcesse por meu time de futebol, o Campinense, mas não pelo da sua mãe, o Treze. Mas, eu vou respeitar se você não torcer pelo meu. No entanto, eu confesso que será bem melhor, caso isso aconteça, que você não torça pelo da sua mãe. Tem tantos times bons, o Real Madri, por exemplo. Se você torcer pelo Treze, aí serão dois contra um. É injusto (rsrsrsrs)!

Gostaria muito de ver você ativamente construindo um mundo melhor, mas do seu jeito e na profissão que você escolher para sua vida.

Pensei em algo que eu queria que você não fosse, político, por exemplo. Mas, caso queira, eu e sua mãe iremos te oferecer o nosso melhor, para que você faça parte de uma geração que irá servir e não se servir do povo. Para tanto, iremos te ensinar a beleza da tolerância, a grandeza da paciência e o poder arrebatador do amor.

Outro dia sonhei com você, dormindo do meu lado, com aquele sono leve e sereno que só os bebês têm. Senti seu cheirinho, vi sua respiração na barriguinha, sua fralda. Filho, foi tão real que acordei chorando de alegria. Confesso que tem hora que me acho maluco, pois a cada dia, inexplicavelmente, o amor que já sinto por você cresce mais do que sou capaz de expressar, pois já sinto a força do que sentimos um pelo outro.

Sabe, filho, escrever esse livro me modificou profundamente, não sou o mesmo. Hoje, mais do que antes, sei que sua vida e a minha serão mudadas radicalmente após nos encontrarmos. Sinto-me mais maduro, mais doce e capacitado para ser um pai melhor, mais lúcido e mais inteiro para nosso relacionamento.

Ah! Fique tranquilo, filho. Não é porque escrevi esse livro ou porque faço palestras sobre criação de filhos, que vou te transformar numa cobaia, colocando você numa espécie de laboratório, com a pretensão de mostrar para o mundo o modelo ideal de criação de filho. Não se preocupe, nossa casa não será um laboratório. Será um lar, e eu não serei seu psicólogo, serei apenas seu pai e, por isso mesmo, vou errar muito.

Sei que dias virão que você dará tanto trabalho, que irei reler essa carta para lembrar que meu desejo de ser pai e meu amor por você sempre estarão além dos dias ruins, das teimosias, da quebra de regras, dos limites ultrapassados, pois preciso permitir que você cresça a um ponto que não precise mais de mim para continuar sua vida.

Um dia você ficará tão zangado comigo que terá a nítida certeza de que eu nasci para pegar no seu pé, te cobrar, fazer você pagar mico, em síntese, tornar sua vida insuportável. Eu pensava isso dos meus pais. Talvez você um dia diga que me odeia, mas vai passar. Eu posso ficar chateado nesse dia, mas também vai passar. O que ficará será a certeza de que tudo foi feito por amor.

Eu irei suportar resignado o fato de você não entender o que motiva um pai a amar com limites, apoiar responsabilizando e a permitir tudo com disciplina. Essa compreensão você terá depois, quando, ao olhar em retrospectiva, verá não alguém que tolhe, mas que faz o possível e o impossível para garantir que você possa voar da forma mais segura.

Enfim, sei que você irá me achar, algumas vezes, a pessoa mais insuportável do mundo, mas quando isso acontecer terei a convicção de que será porque estou fazendo o que é certo, não apenas o que te agrada.

Bem no início de sua vida vou te apresentar alguém muito especial, mas calma, não é o Papai Noel. Você perceberá que Ele fará parte de nossa família e, embora você não possa vê-lo, Ele estará em todos os momentos de nossas vidas, especialmente nos dias felizes, comemorando conosco nossas conquistas, mas também nos dias tristes, consolando nossos corações nas horas das dores.

Apresentá-Lo será o maior presente que eu e sua mãe te daremos, pois foi o maior presente que recebemos de nossos pais. Ele te guiará nos momentos em que seu pai falhar, pois um dia você irá perceber que erro, que sou incoerente, que vacilo, que não tenho resposta para tudo. Nesse momento, é bem provável que você se frustre e se decepcione e que eu deixe de ser seu herói. Então, será Ele quem te guiará e jamais irá te decepcionar. Pois, Ele é justo, fiel e seu amor é simplesmente arrebatador.

Ele tem vários nomes, prefiro chamá-lo de Pai. Sim, filho, existe um pai bem melhor que eu, a quem também chamamos de Deus, e sobre Ele repousamos nossas mais altas esperanças. E olha, não será difícil encontrá-Lo, pois logo você perceberá que Ele não estará apenas nos templos, mas sobretudo em nossos corações.

No entanto, espero que quando você crescer, olhe novamente para seu pai humano e perceba que, apesar dos limites e das incoerências, o amor de um pai é cheio de nuances que somente a maturidade te fará perceber, pois, os pais, meu filho, estão sempre pavimentando estradas para que os filhos possam passar pela vida com mais leveza. Eu já estou fazendo o mesmo por você.

Venha logo, filho, para que todo dia eu possa te abençoar, te dizer o que minha mãe sempre me dizia quando eu saía de casa, e que ainda hoje ecoa na minha alma: 'Deus te transforme em homem de bem, para a honra e glória do Seu nome.'

Com imenso amor, teu pai.

Rossandro Klinjey Irineu Barros

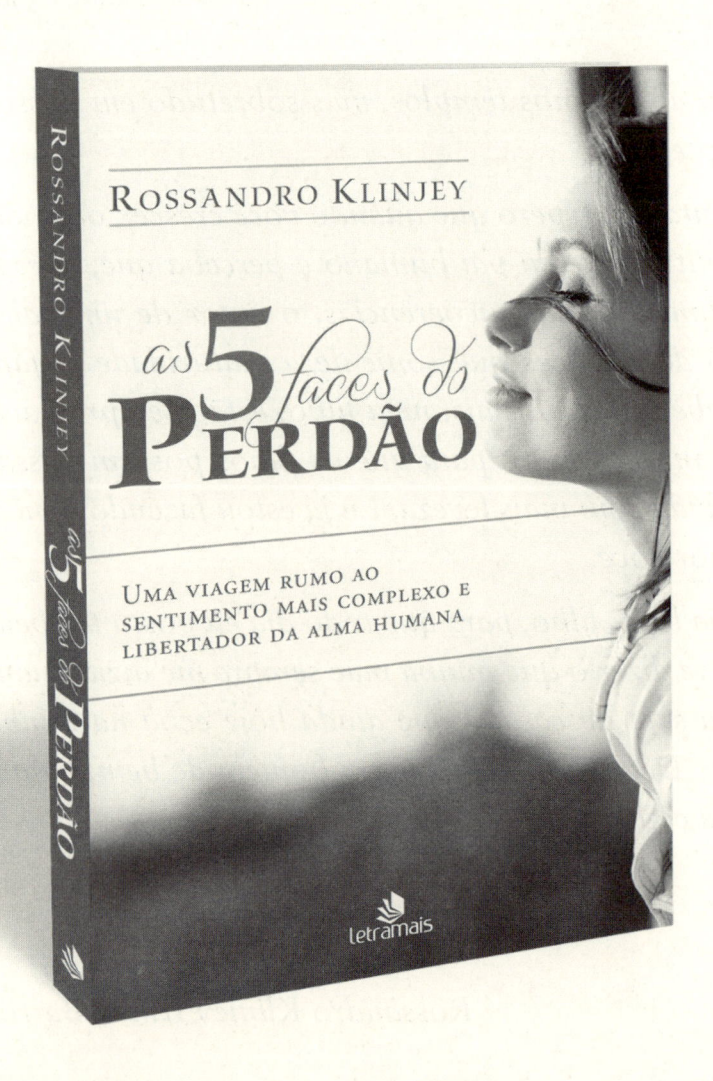

As 5 faces do perdão
Rossandro Klinjey

Rossandro Klinjey narra cinco casos reais de pessoas que tiveram a alegria de passar em revista de si mesmas, atravessaram seus desertos interiores e acessaram a gema preciosa da conciliação consigo mesmas.

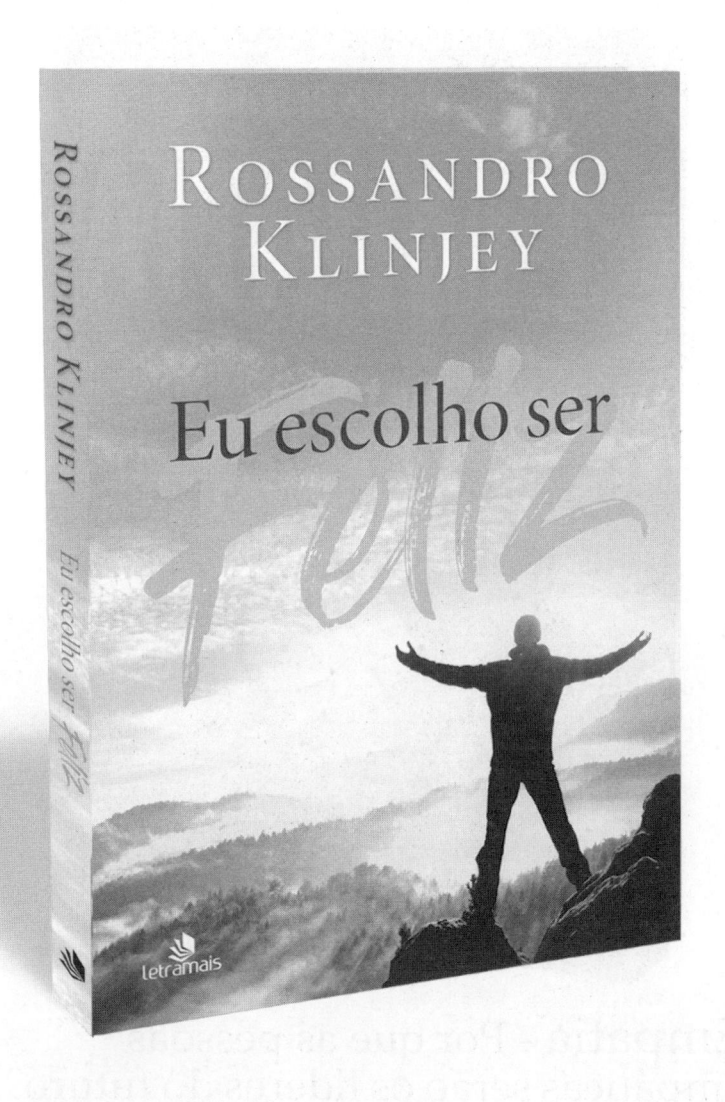

Eu escolho ser feliz
Rossandro Klinjey

O psicólogo clínico, Rossandro Klinjey, traz sua ampla experiência e nos convida, neste maravilhoso livro, a fazermos uma conexão conosco, a fim de descobrirmos a relação entre a nossa felicidade e a aceitação de quem somos no mundo.

Empatia - Por que as pessoas empáticas serão os líderes do futuro?
Jaime Ribeiro

As pessoas estão permanentemente conectadas e nunca houve tanta informação e conteúdo disponíveis, as habilidades humanas se tornam as maiores fortalezas individuais para construir uma sociedade melhor. A empatia será a habilidade mais requisitada em um futuro muito próximo, dominado pelas interações digitais.

Empatia Todo Dia
Jaime Ribeiro

A habilidade pessoal de sentir o que o outro sente só se torna útil quando saímos da imaginação para a ação. A Empatia é um verbo. Ela não existe apenas no campo da observação e das boas intenções.

Para receber informações sobre nossos lançamentos, títulos e autores, bem como enviar seus comentários, utilize nossas mídias:

🌐 letramaiseditora.com.br
✉ comercial2@letramais.com
▶ youtube.com/@letramais
📷 instagram.com/letramais
f facebook.com/letramaiseditora

Redes sociais do autor:

🌐 rossandro.com
▶ youtube.com/rossandroklinjey
📷 instagram.com/rossandroklinjey
f facebook.com/rossandro.klinjey

Esta edição foi impressa pela Lis Gráfica e Editora no formato 160 x 230mm. Os papéis utilizados foram Chambril Avena 80g/m² para o miolo e Cartão Eagle Plus High Bulk 250g/m² para a capa. O texto principal foi composto com a fonte Sabon LT Std 13/18 e os títulos com a fonte Bliss Pro 19/30.